SOINS INFIRMIERS

MÉDECINE CHIRURGIE

GUIDE D'ÉTUDES

YVON BRASSARD

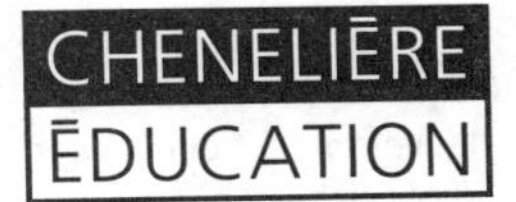

Soins infirmiers – Médecine Chirurgie
Guide d'études

Yvon Brassard

Conception éditoriale: Brigitte Gendron
Édition et coordination éditoriale: André Vandal
Coordination: Caroline Côté
Révision linguistique: Chantale Bordeleau
Correction d'épreuves: Alexandra Soyeux et Catherine Nicole
Conception graphique: Protocole communication d'affaires
Conception du logo de la collection: Marc Sénécal/inoxidée
Conception de la couverture: Micheline Roy et Josée Brunelle

Catalogage avant publication
de Bibliothèque et Archives nationales du Québec
et Bibliothèque et Archives Canada

Brassard, Yvon, 1953-

Soins infirmiers: médecine chirurgie. Guide d'études

Accompagne: Soins infirmiers: médecine chirurgie/Sharon L. Lewis ... [et al.].
Pour les étudiants du niveau collégial.

ISBN 978-2-7650-2611-2

1. Soins infirmiers. 2. Soins infirmiers en chirurgie. 3. Soins infirmiers – Problèmes et exercices. 4. Soins infirmiers en chirurgie – Problèmes et exercices. I. Titre. II. Titre: Soins infirmiers: médecine chirurgie.

RT41.M4314 2011 Suppl. 610.73 C2011-940739-6

CHENELIÈRE
ÉDUCATION

5800, rue Saint-Denis, bureau 900
Montréal (Québec) H2S 3L5 Canada
Téléphone : 514 273-1066
Télécopieur : 514 276-0324 ou 1 800 814-0324
info@cheneliere.ca

ISBN 978-2-7650-2611-2

Dépôt légal: 2e trimestre 2011
Bibliothèque et Archives nationales du Québec
Bibliothèque et Archives Canada

Imprimé au Canada

2 3 4 5 6 M 18 17 16 15 14

Nous reconnaissons l'aide financière du gouvernement du Canada par l'entremise du Fonds du livre du Canada (FLC) pour nos activités d'édition.

Gouvernement du Québec – Programme de crédit d'impôt pour l'édition de livres – Gestion SODEC.

Dans cet ouvrage, le féminin est utilisé comme représentant des deux sexes, sans discrimination à l'égard des hommes et des femmes, et dans le seul but d'alléger le texte.

Sources iconographiques

SA01 – p. 1 : Tiplyashin Anatoly/Shutterstock; Gracieuseté de Bun Tan (http://pages.videotron.com/angkor/); **p. 2 :** Gracieuseté de Bun Tan (http://pages.videotron.com/angkor/). **SA02 – p. 5 :** Tiplyashin Anatoly/ Shutterstock. **SA03 – p. 10 :** Piotr Marcinski/fotolia. **SA04 – p. 13 :** Martina Ebel/iStockphoto. **SA05 – p. 16 :** Martina Ebel/iStockphoto. **SA06 – p. 20 :** Goodluz/Shutterstock. **SA07 – p. 24 :** Neustockimages/ iStockphoto. **SA08 – p. 29 :** Neustockimages/iStockphoto. **SA09 – p. 33 :** Evgeny Kan/iStockphoto. **SA10 – p. 36 :** Savannah1969/ Bigstockphoto. **SA11 – p. 41 :** Savannah1969/Bigstockphoto; **p. 42 :** Gracieuseté de Medicilline Éditions; **p. 43 :** Dr Ph Rault – www.adrenaline112.org; **p. 44 :** LifeART Medical Illustrations/ Fotosearch. **SA12 – p. 48 :** Savannah1969/Bigstockphoto. **SA13 – p. 56 :** Jpaget Rfphotos/Dreamstime.com. **SA14 – p. 60 :** Andres Rodriguez/Dreamstime.com. **SA15 – p. 64 :** Amanda Rohde/iStock-photo. **SA16 – p. 70 :** Juanmonino/iStockphoto. **SA17 – p. 77 :** Dr. M.A. Ansary/Photo Researchers, Inc. **SA18 – p. 83 :** Fuse/Getty Images. **SA19 – p. 85 :** Duncan Walker/iStockphoto. **SA20 – p. 91 :** Alexandr Stepanov/Dreamstime.com; **p. 92 :** Gracieuseté de Zeyad Hassan Al Kahlout (http://www.zeadmph.com). **SA21 – p. 95 :** Jani Bryson/ iStockphoto. **SA22 – p. 98 :** Jani Bryson/iStockphoto. **SA23 – p. 101 :** Kevin Peterson/Thinkstockphoto. **SA24 – p. 107 :** Margaret Stephenson/Shutterstock. **SA25 – p. 112 :** Margaret Stephenson/ Shutterstock. **RE01 – p. 117 :** Sharon Meredith/iStockphoto. **RE02 – p. 119 :** gaffera/iStockphoto. **RE03 – p. 120 :** PhotoEuphoria/ Bigstockphoto. **RE04 – p. 121 :** elkor/iStockphoto. **RE05 – p. 123 :** Rohit Seth/Dreamstime.com. **RE06 – p. 124 :** iofoto/Shutterstock. **RE07 – p. 126 :** photomak/Shutterstock. **RE08 – p. 128 :** StockLib/ iStockphoto. **RE09 – p. 130 :** Lisa F. Young/iStockphoto. **RE10 – p. 132 :** Ashley Cooper/Age Photostock/MaXx Images. **RE11 – p. 135 :** Robert Kneschke/Shutterstock. **RE12 – p. 137 :** dblight/iStockphoto.

ADAPTATION DE L'ÉDITION FRANÇAISE DE *SOINS INFIRMIERS – MÉDECINE CHIRURGIE* (LEWIS, DIRKSEN, HEITKEMPER, BUCHER ET CAMERA)

Sylvie Beaudoin, B. Sc.

Maryse Beaumier, inf., M. Sc., Ph. D. (c)

Sylvie Bélanger, inf., M. Sc., CSIO(C)

Dalila Benhaberou-Brun, inf., M. Sc.

Anne Bernatchez, inf., M. Sc., IPSPL

Mélanie Bérubé, inf., IPA, M.Sc., CSI(C)

Luc-Étienne Boudrias, inf., M. Sc., CSI(C)

Patricia Bourgault, inf., Ph. D.
(Sciences cliniques)

Carole Cormier, inf., B. Sc., M. Éd., ICP(C)

Manon Coulombe, inf., M. Sc., ICSP(C)

Josée Dagenais, inf., M. Sc.

Clémence Dallaire, inf., Ph. D.
(Sciences infirmières)

Danièle Dallaire, inf., M. Sc.

Lise Fillion, inf., Ph. D.
(Psychologie)

Catherine Forbes, inf., M. Sc., CSN(C)

Isabelle Gaboury, Ph. D.
(Santé des populations)

Antoinette Gimenez-Lambert, inf., M. Éd.

Johanne Hébert, inf., M. Sc., Ph. D. (c)

Catherine Houle, inf., B. Sc.

Marie-Claude Jacques, inf., B. Sc., Ph. D. (c)

Manon Lacroix, inf., M. Sc., IPSPL

Renée Létourneau, inf., B. Sc.

Marie-Chantal Loiselle, inf., M. Sc., Ph. D. (c)

Géraldine Martorella, inf., Ph. D. (c)

France Paquet, inf., M. Sc.

Vitalie Perreault, inf., M. Sc.

Karine Philibert, inf., B. Sc.

Hugues Provencher Couture, M. Sc., IPSC

Suzanne Provencher, inf., B. Sc. N.

Annabelle Rioux, M. Sc., IPSPL

Jean-Dominic Rioux, M. Sc., IPSC

Danielle Soucy, inf., M. Sc., ICMC(C)

Pierre Verret, inf., M. Sc., CSIO(C)

CARACTÉRISTIQUES DE L'OUVRAGE

COMPOSANTES GÉNÉRALES D'UN CHAPITRE

1. Situation d'apprentissage qui propose un cas clinique complexe.
2. Présentation de la situation de santé qui sera abordée et nom du client ou de la cliente.
3. Mention des chapitres visés par la situation d'apprentissage.
4. Renvoi au site www.cheneliere.ca/lewis.
5. Mise en situation qui fournit des informations sur le client et des données sur sa situation de santé.
6. Renvoi à une section précise d'un chapitre pour faciliter la révision des connaissances requises pour répondre aux questions.
7. Suite de la mise en situation qui fait évoluer le cas clinique et qui fournit de nouvelles données.
8. Révision éclair : courte activité qui propose l'analyse d'une situation de santé présentant des thèmes non couverts par les situations d'apprentissage.
9. Les valeurs de laboratoire citées dans cet ouvrage sont extraites de Wilson, D. D., Lahaye, S., Courchesne, J., & Prégent, E. (2010). *Examens paraclinique*s. Montréal : Chenelière McGraw-Hill.

Table des matières

AVANT-PROPOS

La profession infirmière requiert de plus en plus d'autonomie dans l'application de la pensée critique. Dans sa formation initiale, qu'elle soit collégiale ou universitaire, l'étudiante en soins infirmiers ou en sciences infirmières doit développer son habileté à analyser une situation de santé, déceler les liens entre les données cliniques, émettre des hypothèses de problèmes et les mettre en parallèle pour être en mesure de prendre des décisions adaptées aux besoins du client. Dans la visée d'une pratique professionnelle, l'acquisition de connaissances de plus en plus poussées en constitue les prémices.

Au-delà de la décision et de l'acte professionnel, il y a la réflexion. Surtout la réflexion, devrait-on dire. Ce *Guide d'études*, qui accompagne le manuel *Soins infirmiers – Médecine Chirurgie*, a pour but principal de poursuivre le développement de la réflexion infirmière amorcé avec l'étude des notions de base. Dès lors, cette réflexion implique que les connaissances acquises doivent soulever des questions en fonction d'un contexte de soins particulier, et susciter la curiosité de pousser plus à fond l'analyse clinique pour déduire et comprendre les enjeux d'une situation de santé. Les activités proposées dans ce guide ont été élaborées avec un souci de réalisme et de crédibilité pour que l'étudiante puisse justement exercer sa pensée critique, laquelle se reconnaît dans l'application judicieuse des connaissances théoriques.

Puisqu'il est important de considérer la diversité de certaines pratiques, les techniques utilisées pour les examens paracliniques et les différents protocoles de soins, entre autres, il se peut que des éléments abordés dans les situations présentées ne correspondent pas à ce qui est appliqué dans certains milieux cliniques. Ce fait ne doit pas être un obstacle au développement du jugement professionnel. Au contraire, cela devrait plutôt permettre à l'étudiante de considérer les particularités d'une situation clinique sous un angle propre à un contexte encore plus spécifique.

Le savoir ne constitue-t-il pas le point de départ du savoir-faire et du savoir-être ? À cela pourrait vraisemblablement s'ajouter le « savoir-évaluer » une situation de santé pour en saisir les tenants et les aboutissants. C'est la contribution que ce complément au manuel *Soins infirmiers – Médecine Chirurgie* souhaite apporter à l'étudiante infirmière dans son habileté à exercer son jugement clinique.

Situation de santé — Jugement clinique

Fibrillation auriculaire

Client: monsieur Ulrick Dinckel

 www.cheneliere.ca/lewis

Chapitres à consulter

 39 ÉVALUATION CLINIQUE
Système cardiovasculaire

 43 INTERVENTIONS CLINIQUES
Arythmie

Monsieur Ulrick Dinckel a 49 ans et il habite seul. Il a toujours été en bonne santé. Alors qu'il lisait calmement dans son lit vers 22 h, il a senti son cœur battre irrégulièrement et rapidement. Il a alors téléphoné au service Info-Santé et a mentionné à l'infirmière en fonction qu'il « avait l'impression de voir battre son cœur, comme s'il voulait sortir de sa poitrine. » ▶

À revoir

39 *Renseignements importants concernant l'évaluation d'un symptôme (PQRSTU)*

1. Trouvez quatre questions à poser à monsieur Dinckel au moment de l'évaluation initiale, qui aideraient l'infirmière du service Info-Santé à déterminer le problème qu'il présente. Justifiez la pertinence de ces questions.

▶ Monsieur Dinckel s'est rendu à l'urgence en ambulance vers 23 h 30. Il a tout de suite été placé sous surveillance électrocardiographique. L'analyse du tracé au moniteur cardiaque indique que le client présente de la fibrillation auriculaire avec réponse ventriculaire rapide. Voici une partie du tracé d'ECG :

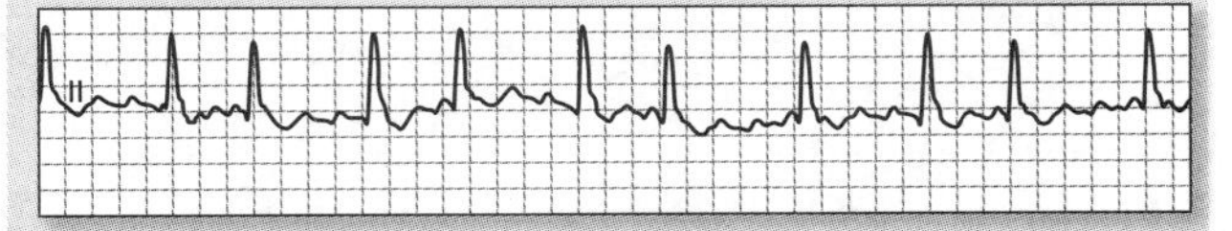

Référence : Soins infirmiers – Arythmies cardiaques (2010). *Fibrillation auriculaire.* [En ligne]. http://pages.videotron.com/angkor/13%20Fibrillation%20Auriculaire2.htm (page consultée le 11 novembre 2010). ▶

À revoir

39 *Système de conduction du cœur*

43 *Mécanismes électrophysiologiques de l'arythmie*

43 *Fibrillation auriculaire*

2. La fréquence cardiaque de monsieur Dinckel n'étant pas mentionnée, que signifie une réponse ventriculaire rapide dans le cas d'une fibrillation auriculaire (FA)?

3. Quelle interprétation du rythme cardiaque de monsieur Dinckel pouvez-vous faire à partir du tracé d'ECG présenté ci-dessus?

▶ Pour traiter la fibrillation auriculaire de monsieur Dinckel, le médecin a tenté un massage du sinus carotidien, sans succès. Il a alors prescrit une première dose de métoprolol (Lopresor[MD]) 5 mg I.V., mais une deuxième dose a été nécessaire trois heures après la première administration. ▶

À revoir

43 *Fibrillation auriculaire – Traitement*

43 *Antiarythmiques*

4. Dans quel but le métoprolol (Lopresor[MD]) est-il administré à monsieur Dinckel?

5. Pourquoi monsieur Dinckel a-t-il eu besoin d'une seconde administration de métoprolol trois heures après la première dose?

▶ Le moniteur cardiaque montre le tracé d'ECG suivant:

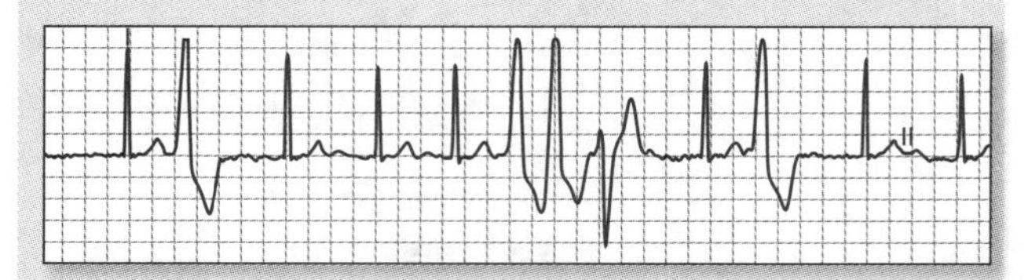

Référence: Soins infirmiers – Arythmies cardiaques (2010). *Fibrillation auriculaire.* [En ligne]. http ://pages.videotron.com/angkor/35%20Esv%202.HTM (page consultée le 12 novembre 2010). ▶

À revoir

43 *Extrasystole auriculaire; Extrasystole ventriculaire*

6. Quelles sont les deux arythmies reconnaissables dans ce tracé?

▶ Vers 4 h 45, le rythme cardiaque de monsieur Dinckel est redevenu sinusal avec une fréquence de 82 batt./min. Vers 7 h, le médecin a autorisé le client à retourner chez lui, la condition cardiaque de celui-ci étant contrôlée. Le client quitte l'hôpital avec la prescription suivante:

- métoprolol (Lopresor[MD]) 100 mg b.i.d.;
- acide acétylsalicylique (Aspirin[MD]) 81 mg die;
- Holter dans une semaine;
- ECG d'effort;
- prendre rendez-vous avec le cardiologue par la suite. ▶

À revoir

39 *Électrocardiogramme; Épreuve d'effort ou de résistance au stress; Monitorage ambulatoire de type Holter*

43 *Fibrillation auriculaire – Traitement*

7. Pourquoi monsieur Dinckel doit-il passer un ECG d'effort?

8. Concernant les examens paracliniques qu'il doit subir, qu'est-ce que monsieur Dinckel devrait savoir?

9. Pourquoi l'acide acétylsalicylique est-il prescrit à monsieur Dinckel?

▶ Monsieur Dinckel a maintenant 51 ans. Son problème était plutôt bien contrôlé jusqu'à ce que des épisodes de fibrillation auriculaire apparaissent de nouveau, à des périodes de plus en plus rapprochées. Le cardiologue a changé la médication anti-arythmique pour du chlorhydrate d'amiodarone (Cordarone[MD]) 400 mg t.i.d. comme dose d'attaque pendant sept jours, suivie de 200 mg die. Le client dit éprouver de forts étourdissements depuis qu'il a commencé à prendre ce médicament. Il devra également faire évaluer sa thyréostimuline (TSH). ◀

10. Outre les étourdissements, nommez trois autres effets secondaires courants que monsieur Dinckel risque de présenter pendant la prise de ce nouveau médicament.

11. Pourquoi monsieur Dinckel doit-il faire évaluer sa TSH ?

12. Quelle précaution cutanée monsieur Dinckel doit-il prendre lorsqu'il est à l'extérieur ?

Situation de santé — Jugement **clinique**

SA02

Fibrillation auriculaire *(suite)*

Client : monsieur Ulrick Dinckel

www.cheneliere.ca/lewis

Chapitres à consulter

39 ÉVALUATION CLINIQUE
Système cardiovasculaire

43 INTERVENTIONS CLINIQUES
Arythmie

45 INTERVENTIONS CLINIQUES
Troubles vasculaires

Pendant trois ans, la fibrillation auriculaire de monsieur Dinckel a été relativement bien contrôlée avec le traitement de chlorhydrate d'amiodarone (Cordarone[MD]). Depuis quelque temps, les arythmies sont de plus en plus fréquentes, et le client dit se sentir rapidement essoufflé lorsqu'il monte un escalier ou quand il marche rapidement. Il ajoute qu'il est plus fatigué que d'habitude. Le cardiologue suggère alors un traitement d'ablation circonférentielle des veines pulmonaires par radiofréquence. En préparation à un tel traitement, monsieur Dinckel doit subir une échocardiographie. ▶

À revoir

39 *Échocardiographie*

39 *Activité mécanique du cœur – Facteurs influant sur le débit cardiaque*

1. Dans quel but monsieur Dinckel doit-il passer une échographie cardiaque avant le traitement d'ablation circonférentielle des veines pulmonaires ?

____
____
____
____
____
____

2. Nommez trois points que monsieur Dinckel doit connaître en vue de la préparation à cet examen.

____
____
____
____

3. L'échocardiographie a montré une légère hypertrophie de l'oreillette gauche. La fraction d'éjection est de 60 %. Que signifient ces résultats ?

____
____
____
____
____
____
____
____
____
____
____
____
____
____
____

▶ Monsieur Dinckel est hospitalisé pour l'ablation circonférentielle des veines pulmonaires par radiofréquence. Il doit subir une échographie transœsophagienne (E.T.O.) la veille de ce traitement. ▶

À revoir

39 *Échocardiographie*

4. Nommez au moins six points à expliquer au client au cours de l'enseignement préparatoire à l'échographie transœsophagienne.

5. Pourquoi monsieur Dinckel doit-il subir cet examen avant l'ablation circonférentielle des veines pulmonaires par radiofréquence?

▶ Monsieur Dinckel est demeuré en observation pendant deux heures après l'ablation circonférentielle des veines pulmonaires par radiofréquence qu'il a subie. Il est de retour à sa chambre à 15 h 15. Il a un pansement compressif à l'aine droite et une perfusion de NaCl 0,9 % en TVO au poignet gauche. ▶

À revoir

39 *Approches invasives – Cathétérisme cardiaque et angiographie coronarienne*

43 *Fibrillation auriculaire – Traitement*

6. Quelles vérifications devez-vous faire quant au pansement à l'aine et à l'aine elle-même?

7. Quelle consigne monsieur Dinckel doit-il respecter pour éviter de déclencher un saignement à l'aine droite?

8. En plus des signes vitaux, des caractéristiques du pansement et de la condition de l'aine, quatre autres éléments spécifiques doivent être vérifiés régulièrement, selon le protocole local. Quels sont ces éléments ?

____
____
____
____
____

9. Comme monsieur Dinckel est revenu à sa chambre vers 15 h 15, à quelle heure pourra-t-il se lever du lit pour quelques minutes ?

____
____
____
____
____
____
____

▶ Monsieur Dinckel doit quitter l'hôpital le lendemain du traitement. Tout s'est déroulé normalement, sans aucune complication. L'infirmière doit néanmoins déterminer un plan thérapeutique infirmier puisque le client est hospitalisé. ▶

10. Qu'écririez-vous dans le plan thérapeutique infirmier de monsieur Dinckel pour refléter l'évaluation de sa condition clinique ?

____
____
____
____
____
____
____
____

Extrait

CONSTATS DE L'ÉVALUATION

Date	Heure	N°	Problème ou besoin prioritaire	Initiales	RÉSOLU / SATISFAIT			Professionnels / Services concernés
					Date	Heure	Initiales	
2011-04-04	*15:30*							
				Vos initiales			Vos initiales	

SUIVI CLINIQUE

Date	Heure	N°	Directive infirmière	Initiales	CESSÉE / RÉALISÉE		
					Date	Heure	Initiales
2011-04-04							
				Vos initiales			Vos initiales

Signature de l'infirmière	Initiales	Programme / Service	Signature de l'infirmière	Initiales	Programme / Service
		Cardiologie			
Votre signature	Vos initiales				

11. Que devriez-vous ajouter au plan thérapeutique infirmier de monsieur Dinckel au départ de celui-ci à 8 h 30, le lendemain de son traitement ?

▶ Monsieur Dinckel quitte l'hôpital avec une prescription d'énoxaparine (Lovenox^MD^) 9 000 unités (présentation de 10 000 unités/ml) en injection S.C. pour six jours, et de warfarine (Coumadin^MD^) 5 mg P.O. die pour six jours, avec ajustement de la dose ultérieure selon le résultat du ratio international normalisé (RIN). Le traitement à la warfarine est instauré à titre préventif pour une période de trois mois. L'infirmière rencontre le client pour procéder à l'enseignement concernant la médication anticoagulante. ▶

À revoir

45 *Antagonistes de la vitamine K*

45 *Soins ambulatoires et soins à domicile*

12. Pourquoi le client reçoit-il deux médicaments anticoagulants en même temps ?

13. Nommez au moins cinq points généraux d'enseignement que l'infirmière doit couvrir concernant le traitement à la warfarine (Coumadin^MD^) que monsieur Dinckel doit suivre pendant trois mois.

▶ Pendant une semaine, monsieur Dinckel a pris son anticoagulant selon le schéma suivant :

Lundi	Mardi	Mercredi	Jeudi	Vendredi	Samedi	Dimanche
5 mg	2,5 mg	2,5 mg	5 mg	2,5 mg	2,5 mg	2,5 mg

Après ce temps, le RIN du client est de 3,6. ◀

14. Selon vous, la dose de warfarine (Coumadin[MD]) devrait-elle être modifiée ? Justifiez votre réponse.

Chlamydia

Cliente : Alicia Sambonni

www.cheneliere.ca/lewis

Chapitres à consulter

ÉVALUATION CLINIQUE
Système reproducteur

INTERVENTIONS CLINIQUES
Infections transmissibles sexuellement

Alicia est une jeune étudiante de 18 ans. Elle a quitté son petit ami il y a un mois et a rencontré un autre garçon de six ans son aîné. Elle consulte l'infirmière praticienne spécialisée en soins de première ligne à la clinique de médecine familiale parce qu'elle a constaté un écoulement vaginal jaunâtre nauséabond. Elle dit éprouver des douleurs pendant les relations sexuelles avec son nouvel ami, ce qu'elle ne ressentait pas auparavant. Elle n'y avait pas accordé d'importance, croyant que cela passerait avec le temps. L'infirmière soupçonne le fait qu'Alicia présente une infection à *Chlamydia*. ▶

À revoir

- 62 *Examen clinique du système reproducteur de l'homme et de la femme*
- 62 *Histoire de santé (AMPLE) – Événements/environnement*
- 62 *Examens paracliniques du système reproducteur*
- 64 *Chlamydiose*

1. Trouvez quatre questions à poser à Alicia pouvant guider davantage l'infirmière dans son hypothèse d'une possible infection à *Chlamydia*.

____

____

____

____

____

____

____

____

____

____

____

____

____

____

____

____

____

2. Un examen des organes génitaux internes et externes de la cliente est pratiqué. Que devriez-vous observer s'il y a infection à *Chlamydia*?

____

____

____

____

____

____

____

3. Pour détecter l'infection à *Chlamydia trachomatis*, auriez-vous raison de faire le test de Papanicolaou à Alicia ? Justifiez votre réponse.

▶ Les tests ont confirmé qu'Alicia a été infectée par la *Chlamydia trachomatis*. Pourtant, son partenaire n'a aucun symptôme : « Il ne peut pas m'avoir contaminée », dit-elle. Elle craint de ne pouvoir avoir d'enfants plus tard. ▶

À revoir

64 *Chlamydiose – Étiologie et physiopathologie*

4. Alicia peut-elle avoir été contaminée par son partenaire actuel, même si ce dernier n'a aucun symptôme ? Justifiez votre réponse.

5. Le partenaire d'Alicia doit-il être examiné lui aussi pour détecter la présence d'une chlamydia ? Justifiez votre réponse.

6. Alicia a-t-elle raison de craindre de ne pouvoir avoir d'enfants ? Justifiez votre réponse.

▶ Le médecin a éliminé la possibilité qu'Alicia soit atteinte de gonorrhée. Puis, il lui a prescrit azithromycine (Zithromax[MD]) comme traitement de sa chlamydia. La cliente se demande pourquoi elle prend ce médicament plutôt que de la pénicilline. ◀

À revoir

64 *Gonorrhée*

64 *Chlamydiose – Pharmacothérapie*

7. Pourquoi est-il important d'éliminer un diagnostic de gonorrhée avant de prescrire un traitement à l'azithromycine à Alicia?

8. Pourquoi l'azithromycine (Zithromax^MD) constitue-t-elle un traitement de première ligne pour l'infection à *Chlamydia* d'Alicia plutôt que la pénicilline?

9. Le partenaire d'Alicia doit-il également être traité? Justifiez votre réponse.

10. Nommez deux points qui doivent être expliqués à Alicia dans l'enseignement sur la prise de l'azithromycine (Zithromax^MD).

Situation de santé

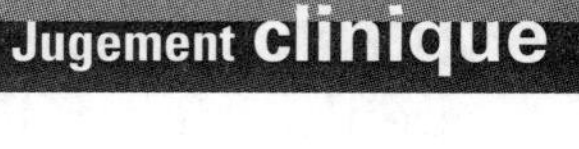

SA04

Ostéoporose

Cliente : madame Aline Désilets

www.cheneliere.ca/lewis

Chapitres à consulter

24 ÉVALUATION CLINIQUE
Système musculosquelettique

26 INTERVENTIONS CLINIQUES
Troubles musculosquelettiques

Madame Aline Désilets a 72 ans. Elle est veuve et habite seule au deuxième étage d'un duplex dont sa fille aînée est propriétaire. Elle a eu neuf enfants qu'elle a tous allaités. Elle a accouché de son dernier enfant à l'âge de 47 ans. Alors qu'elle voulait attraper son chat, elle a heurté une chaise et a essayé de se protéger avec ses mains pour éviter une chute. Selon elle, le mouvement de protection n'était pas violent et le choc était léger ; elle s'est malheureusement infligé une fracture au poignet gauche, confirmée par une radiographie prise à la clinique de médecine familiale où elle s'est rendue. Le médecin a tout de suite soupçonné que la fracture était due à l'ostéoporose. ▶

À revoir

24 *Os – Structure microscopique*

26 *Ostéoporose – Étiologie et physiopathologie*

1. Qu'est-ce qui a pu laisser croire au médecin que madame Désilets était atteinte d'ostéoporose ?

2. Quelle semble être la principale condition ayant prédisposé madame Désilets à présenter de l'ostéoporose ?

3. Deux éléments de cette situation indiquent que madame Désilets est à risque de présenter de l'ostéoporose. Lesquels ?

4. En plus de l'alimentation, nommez trois points à vérifier dans les habitudes de vie de madame Désilets en lien avec le dépistage des facteurs de risque d'ostéoporose.

▶ Madame Désilets présente des problèmes de santé chroniques. Elle souffre de glomérulonéphrites à répétition. Quand cela arrive, elle est traitée avec de la cortisone pendant plusieurs semaines. Elle souffre également d'hyperthyroïdie pour laquelle elle prend propylthiouracile (Propyl-Thyracile[MD]), d'hypercholestérolémie traitée par gemfibrozil (Lopid[MD]) et d'hypertension artérielle traitée par ramipril (Altace[MD]). ▶

À revoir

24 *Examen clinique du système musculosquelettique – Histoire de santé (AMPLE) – Médicaments*

26 *Ostéoporose – Étiologie et physiopathologie*

5. Parmi les médicaments de madame Désilets, lesquels ont un effet sur le métabolisme osseux?

▶ Madame Désilets mange peu de produits laitiers, sauf du yogourt à l'occasion et un peu de lait dans son café. Elle cuisine au moins deux portions de saumon par semaine avec des épinards, et elle mange une banane avec des rôties de pain de blé entier au déjeuner. ▶

À revoir

24 *Histoire de santé (AMPLE) – Dernier repas*

26 *Soins et traitements en interdisciplinarité – Client atteint d'ostéoporose*

6. Quelle est la principale source de calcium dans l'alimentation de madame Désilets?

▶ Le médecin recommande une ostéodensitométrie pour confirmer le diagnostic d'ostéoporose. Madame Désilets sait que le calcium sanguin joue un rôle important pour les os, mais elle ne comprend pas pourquoi elle doit subir l'examen demandé. «Une prise de sang devrait suffire, il me semble», dit-elle avec inquiétude. ▶

À revoir

24 *Examens paracliniques du système musculosquelettique*

26 *Ostéoporose – Examen clinique et examens paracliniques*

7. Quelle différence entre l'ostéodensitométrie et la calcémie devez-vous expliquer à la cliente ?

▶ L'ostéodensitométrie pratiquée chez madame Désilets donne un indice T de -2,6. Le médecin décide donc de prescrire un traitement d'alendronate (FosamaxMD) 10 mg die. Vous faites l'enseignement à la cliente sur la prise d'alendronate en insistant sur les alertes cliniques dont elle doit tenir compte. ◀

À revoir

24 *Examens paracliniques du système musculosquelettique*

26 *Ostéoporose – Pharmacothérapie*

8. Que signifie le résultat de l'ostéodensitométrie ?

9. Pourquoi madame Désilets doit-elle prendre l'alendronate (FosamaxMD) avec un grand verre d'eau sans croquer, mâcher ou sucer le comprimé, et ne pas s'étendre au moins 30 minutes après avoir pris le médicament ?

10. Que devez-vous dire à madame Désilets pour expliquer l'importance de prendre son médicament 30 minutes avant le petit déjeuner ?

Fracture de la hanche *(suite)*

Cliente : madame Aline Désilets

www.cheneliere.ca/lewis

Chapitres à consulter

INTERVENTIONS CLINIQUES
Trauma musculosquelettique et chirurgie orthopédique

INTERVENTIONS CLINIQUES
Soins préopératoires

INTERVENTIONS CLINIQUES
Soins peropératoires

INTERVENTIONS CLINIQUES
Soins postopératoires

Madame Aline Désilets a dû être conduite à l'urgence à la suite d'une chute accidentelle dans un escalier extérieur mouillé. Il avait plu et, malgré sa prudence, elle est tombée sur le côté gauche ; elle s'est infligé une fracture à la hanche. ▶

À revoir

25 *Fractures – Classification*

25 *Fracture de la hanche*

1. Quels sont les deux principaux facteurs intrinsèques qui ont contribué le plus à la fracture de madame Désilets ?

2. Au moment de l'évaluation initiale au triage à l'urgence, quelles sont les trois données cliniques objectives qui doivent être recherchées en lien avec la fracture de la hanche de cette cliente ?

3. La radiographie a confirmé une fracture intracapsulaire transcervicale du fémur. Qu'est-ce que cela veut dire ?

▶ Madame Désilets sera opérée demain sous anesthésie rachidienne pour la pose d'une endoprothèse à la hanche gauche par accès antérieur. Deux de ses amies ont subi la même opération en l'espace d'une année et elles ont toutes deux présenté des complications. La cliente est à l'unité de soins orthopédiques, et l'enseignement préopératoire est commencé. La cliente confirme qu'elle a bien compris les explications fournies par l'orthopédiste à propos de la chirurgie et qu'elle sait à quoi s'attendre. ▶

À revoir

Soins et traitements infirmiers – Client atteint d'une fracture de la hanche

46 *Évaluation préopératoire du client par l'infirmière*

46 *Préparation légale à la chirurgie – Consentement à la chirurgie*

4. D'après vous, quelle pourrait être la principale source d'anxiété pour madame Désilets en période préopératoire ?

5. Madame Désilets est-elle en mesure de signer le formulaire de consentement opératoire ? Justifiez votre réponse.

6. Quels sont les quatre points spécifiques de la chirurgie pour endoprothèse à la hanche sur lesquels vous devriez axer votre enseignement à la cliente ?

▶ Le matin de l'opération, madame Désilets est confiante et pense que tout se passera bien. Elle est à jeun. ▶

À revoir

47 *Anesthésie rachidienne et anesthésie épidurale*

7. D'après vous, pourquoi la cliente est-elle à jeun, puisqu'elle sera opérée sous anesthésie rachidienne ?

▶ Madame Désilets est maintenant de retour à sa chambre. Ses jambes sont maintenues en abduction par un coussin abducteur. Le pansement à la hanche gauche est souillé de liquide sanguinolent séché de la grandeur d'une pièce de 25 cents, et la cliente se plaint de douleur à 4 sur 10. Elle a recours à l'analgésie contrôlée (pompe ACP), au besoin. Le soluté de NaCl 0,9 % perfuse à 80 ml/h, et les signes vitaux sont les suivants : P.A. : 134/86 ; P : 106 ; R : 28 ; SpO2 : 88 % ; T° : 38 °C. ▶

À revoir

25 *Soins et traitements infirmiers – Client atteint d'une fracture de la hanche*

25 *Embolie graisseuse*

25 *Thromboembolie veineuse*

8. Nommez au moins six points à évaluer par rapport à la jambe gauche de madame Désilets dès son retour à l'unité de soins.

9. Quel problème prioritaire relevez-vous à la suite de l'évaluation clinique postopératoire de la situation de santé de madame Désilets ? Inscrivez votre réponse dans l'extrait du plan thérapeutique infirmier de la cliente et justifiez votre réponse en vous basant sur les manifestations cliniques postopératoires.

Extrait

CONSTATS DE L'ÉVALUATION								
Date	Heure	N°	Problème ou besoin prioritaire	Initiales	RÉSOLU / SATISFAIT			Professionnels / Services concernés
					Date	Heure	Initiales	
2011-05-19	*13:15*	*2*						

Vos initiales

Signature de l'infirmière	Initiales	Programme / Service	Signature de l'infirmière	Initiales	Programme / Service
		Orthopédie			

Votre signature

Vos initiales

10. Pourquoi les jambes de la cliente doivent-elles être maintenues en abduction ?

11. Auriez-vous raison de surveiller les signes de thrombose veineuse profonde chez cette cliente ? Justifiez votre réponse.

▶ Madame Désilets a été opérée hier. D'après le plan de soins interdisciplinaire normalisé, elle devrait se lever au fauteuil aujourd'hui. Elle peut utiliser un déambulateur avec mise en charge partielle « toe – touch ». Cependant, elle est réticente à se lever, disant que ses jambes ne la supportent pas. Elle respecte peu les consignes et elle est très tendue au moment du lever, craintive même, exigeant que la physiothérapeute soit aidée d'un autre intervenant : « Quel malheur s'il m'arrivait quelque chose », ajoute-t-elle. ▶

À revoir

25 *Plan de soins et de traitements infirmiers – Fracture*

12. Quelle hypothèse de problème pouvez-vous émettre à la suite de ces nouvelles données ? Justifiez votre réponse.

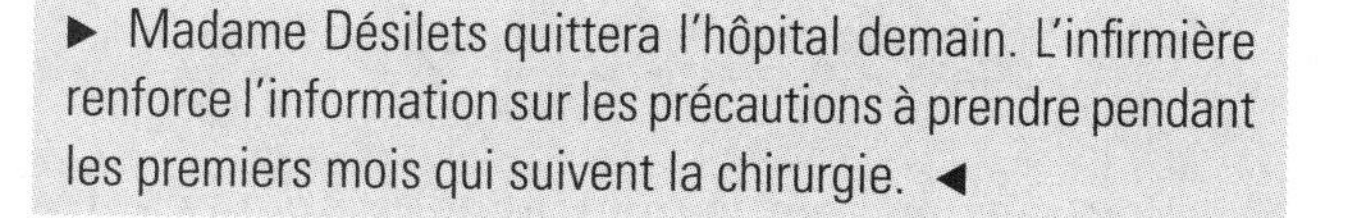

▶ Madame Désilets quittera l'hôpital demain. L'infirmière renforce l'information sur les précautions à prendre pendant les premiers mois qui suivent la chirurgie. ◀

À revoir

Soins et traitements infirmiers – Client atteint d'une fracture de la hanche

13. Madame Désilets devrait-elle utiliser un enfile-bas et un enfile-chaussure à long manche ? Justifiez votre réponse.

14. Madame Désilets dort habituellement sur le côté droit. Quelle suggestion pouvez-vous lui faire pour éviter que cette position entraîne une luxation ?

15. Pour quelle raison la cliente doit-elle éviter d'étendre sa jambe gauche vers l'arrière et éviter tout mouvement de torsion du bassin (p. ex., saisir un objet sur sa droite en utilisant sa main gauche) ?

Situation de santé — Jugement **clinique**

SA06

Parkinson

Client: monsieur Guillaume Lamont

www.cheneliere.ca/lewis

Chapitres à consulter

18 ÉVALUATION CLINIQUE
Système nerveux

21 INTERVENTIONS CLINIQUES
Troubles neurologiques chroniques

Monsieur Guillaume Lamont, 60 ans, est notaire. Il songe à prendre sa retraite dans deux ans, éprouvant de plus en plus de tension lors de transactions immobilières particulièrement délicates ou de conflits familiaux majeurs pour des testaments. Depuis quelque temps, il a remarqué qu'il avait de légers tremblements lorsqu'il était couché, et qu'il lui était même difficile d'apposer sa signature sur les contrats légaux qu'il rédigeait. Comme son père est décédé des suites de la maladie de Parkinson, monsieur Lamont craint d'en être atteint également. Il s'est présenté à la clinique de médecine familiale où une infirmière praticienne spécialisée en soins de première ligne l'a rencontré. ▶

À revoir

18 *Anatomie et physiologie du système nerveux – Influx nerveux – Neurotransmetteurs*

18 *Système sensoriel – Kinesthésie et sensibilité posturale*

21 *Maladie de Parkinson – Manifestations cliniques*

1. Nommez deux caractéristiques des tremblements à vérifier au moment de l'évaluation initiale de monsieur Lamont.

___

___

___

___

___

___

___

___

2. Mentionnez trois tests pouvant être utilisés pour évaluer la coordination des mouvements des membres supérieurs de monsieur Lamont.

___

___

___

___

3. Nommez au moins quatre mouvements automatiques à évaluer pour vérifier la présence de bradykinésie chez monsieur Lamont.

___

___

___

___

___

___

___

___

___

___

4. Quelle caractéristique de la posture de monsieur Lamont est-il important d'observer en lien avec un diagnostic possible de la maladie de Parkinson ?

▶ La suite de l'examen clinique de l'infirmière porte sur la force musculaire et la démarche de monsieur Lamont. ▶

À revoir

18 *Système sensoriel – Kinesthésie et sensibilité posturale*

21 *Maladie de Parkinson – Manifestations cliniques*

5. En demandant à monsieur Lamont de marcher, quel type de démarche l'infirmière veut-elle vérifier chez le client ?

6. De quelle façon l'infirmière peut-elle vérifier la force musculaire des bras de monsieur Lamont ?

▶ À la lumière des signes observés chez monsieur Lamont, le médecin émet un diagnostic provisoire de maladie de Parkinson. Il prescrit un traitement symptomatique de faibles doses de lévodopa-carbidopa ½ co. de 250/25 die (250 mg de lévodopa et 25 mg de carbidopa) en association avec la bromocriptine 1,25 mg b.i.d., avant le déjeuner et au souper. Le client est avisé de prendre la lévodopa-carbidopa à jeun. ▶

À revoir

21 *Maladie de Parkinson – Pharmacothérapie*

7. Pourquoi un tel traitement pharmacologique est-il prescrit au client dès le début de sa maladie ?

8. Pourquoi le médecin prescrit-il à monsieur Lamont de faibles doses de dopaminergiques en début de traitement?

9. Nommez quatre effets secondaires fréquents que monsieur Lamont peut éprouver à la suite de la prise des dopaminergiques.

10. Si le client ressent des effets secondaires des dopaminergiques, est-il possible que ceux-ci ne soient que passagers? Justifiez votre réponse.

11. Selon l'évolution de l'état de santé de monsieur Lamont, quelle considération pharmacologique contribuerait à éviter l'apparition des complications motrices?

12. Pourquoi monsieur Lamont doit-il prendre la lévodopa à jeun?

 Monsieur Lamont risque de présenter de la dysarthrie et de la dysphagie. Sa démarche est de plus en plus voûtée depuis le diagnostic, il y a trois ans. Au cours de la dernière visite du client à la clinique de médecine familiale, l'infirmière praticienne spécialisée en soins de première ligne a noté que celui-ci avait des mouvements plus raides, et elle lui a enseigné des exercices d'étirement. ►

À revoir

21 *Maladie de Parkinson – Étiologie et physiopathologie ; Complications*

21 *Maladie de Parkinson – Plan de soins et de traitements infirmiers*

13. Qu'est-ce qui explique l'apparition possible de la dysarthrie et de la dysphagie chez monsieur Lamont?

14. Quel autre problème le client peut-il présenter en raison de la dysphagie ?

15. Quel autre risque le client court-il à cause de sa démarche ?

16. Quel est le but des mouvements d'étirement enseignés par l'infirmière ?

► Au cours d'une visite subséquente, monsieur Lamont explique qu'il a de la difficulté à se lever d'une chaise ou du siège de toilette. Il ajoute qu'il a failli tomber en se levant du lit. ◄

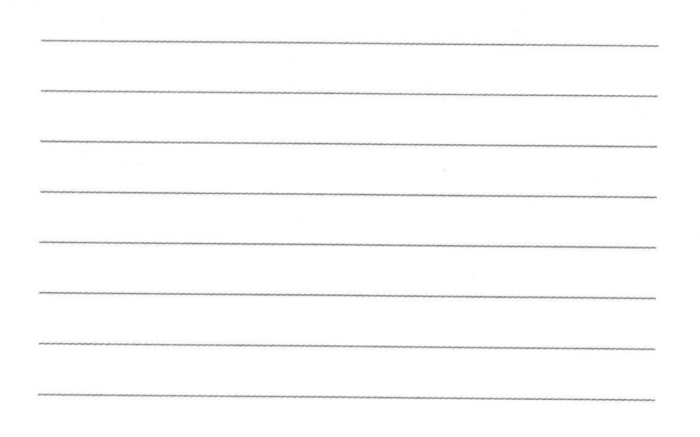

17. Quelle suggestion l'infirmière peut-elle faire pour que le client se lève d'une chaise ou du siège de toilette plus facilement ?

18. Quelle autre suggestion peut être faite pour éviter qu'il fasse une chute lorsqu'il se lève du lit ?

19. Pour déterminer le risque de chute, il est nécessaire de vérifier l'équilibre de monsieur Lamont. Comment procéderez-vous à une telle évaluation?

SA07

Insuffisance cardiaque

Client : monsieur Jean-Luc Moreau

www.cheneliere.ca/lewis

Chapitres à consulter

ÉVALUATION CLINIQUE
Système cardiovasculaire

INTERVENTIONS CLINIQUES
Insuffisance cardiaque

Monsieur Jean-Luc Moreau, 66 ans, a déjà présenté des épisodes d'angine de poitrine, et il est atteint d'insuffisance cardiaque gauche. Il a une fraction d'éjection du ventricule gauche de 22 % et il est porteur d'un défibrillateur cardiaque permanent. Sa pression artérielle est à 158/90 et, comme son rythme cardiaque est irrégulier, il prend digoxine (Lanoxin^MD) 0,25 mg die. Le résultat des peptides natriurétiques de type B (PNB) est de 400 ng/L. ▶

À revoir

39 *Échocardiographie*
42 *Insuffisance cardiaque – Étiologie et physiopathologie*
42 *Mécanismes de contre-régulation*

1. Quels sont les trois facteurs qui ont contribué à l'apparition de l'insuffisance cardiaque chez monsieur Moreau ?

2. Parmi les facteurs présents chez ce client, lequel contribue le plus au problème d'insuffisance cardiaque ?

3. Nommez quatre autres facteurs qui pourraient être en cause dans l'apparition de l'insuffisance cardiaque, mais qui ne sont pas mentionnés dans cet épisode de la mise en contexte.

4. Quel risque monsieur Moreau court-il avec une fraction d'éjection de 22 % ?

5. Quelle est l'importance de la vérification des peptides natriurétiques de type B ?

> ▶ Monsieur Moreau se présente à la clinique d'insuffisance cardiaque pour son suivi mensuel avec l'infirmier praticien spécialisé en cardiologie. Il lui mentionne qu'il a pris du poids dans la dernière semaine. Il ne s'est pas pesé, mais il affirme ne plus pouvoir attacher ses pantalons (il doit maintenant porter des bretelles). Il a remarqué que ses pieds avaient commencé à enfler, et que c'est sans doute pour cette raison qu'il arrive difficilement à enfiler ses chaussures. L'infirmier suspecte l'apparition d'une surcharge liquidienne ou circulatoire.
> Le client fait aussi de la fibrillation auriculaire depuis six mois. Sa fréquence cardiaque, qui est de 112 batt./min, est plus ou moins bien contrôlée avec le métoprolol (Lopresor^{MD}). ▶

À revoir

42 *Physiopathologie de l'insuffisance cardiaque*

42 *Manifestations cliniques : insuffisance cardiaque chronique*

6. Du point de vue physiopathologique, qu'est-ce qui peut expliquer la possibilité de surcharge liquidienne ou circulatoire chez monsieur Moreau ?

7. Au moment de l'évaluation du client, l'infirmier doit obtenir deux données cliniques présentes dans cet épisode, mais qui ne sont pas précisées. Nommez-les.

8. En plus de l'œdème aux pieds, quel autre signe périphérique pouvant indiquer une insuffisance cardiaque droite est à vérifier chez ce client ?

9. Pourquoi monsieur Moreau prend-il du métoprolol (Lopresor[MD]) ?

▶ Monsieur Moreau ajoute qu'il se réveille parfois subitement la nuit avec l'impression de «courir après son souffle». Une restriction liquidienne de 1 500 ml par jour est prescrite au client. Ce dernier sera hospitalisé, et l'infirmier praticien spécialisé en cardiologie croit qu'il est justifié de déterminer un plan thérapeutique infirmier pour monsieur Moreau dans le but de suivre l'évolution de son état de santé. En voici un extrait. ▶

À revoir

42 *Insuffisance cardiaque – Plan de soins et de traitements infirmiers*

42 *Soins et traitements infirmiers – Client atteint d'insuffisance cardiaque*

10. Inscrivez deux directives infirmières pour assurer la surveillance clinique du problème prioritaire mentionné dans les constats de l'évaluation.

____

11. Comment qualifier le problème respiratoire que monsieur Moreau éprouve pendant la nuit?

____

____

Extrait

CONSTATS DE L'ÉVALUATION

Date	Heure	N°	Problème ou besoin prioritaire	Initiales	RÉSOLU / SATISFAIT			Professionnels / Services concernés
					Date	Heure	Initiales	
2011-03-15	*11:15*	*2*	*Risque de surcharge liquidienne*	*RB*				

SUIVI CLINIQUE

Date	Heure	N°	Directive infirmière	Initiales	CESSÉE / RÉALISÉE		
					Date	Heure	Initiales
2011-03-15	*11:15*	*2*					

Vos initiales

Signature de l'infirmière	Initiales	Programme / Service	Signature de l'infirmière	Initiales	Programme / Service
Régis Boulanger	*RB*	*Clinique d'insuff. card.*			
		Clinique d'insuff. card.			

Votre signature

Vos initiales

12. Une surcharge liquidienne peut avoir des répercussions sur la fonction respiratoire. Citez au moins trois manifestations à vérifier pour suivre l'évolution clinique de l'état de santé actuel de monsieur Moreau.

▶ Le cardiologue a décidé de changer la prescription de métoprolol pour du bisoprolol 10 mg die. Le client prend également énalapril (Vasotec[MD]) 5 mg die pour contrôler sa pression artérielle et la maintenir dans les limites inférieures, et furosémide (Lasix[MD]) 40 mg die. Il explique à l'infirmier que, depuis quelques jours, il se lève jusqu'à cinq fois par nuit pour uriner et, sans qu'il puisse l'expliquer, il a des selles diarrhéiques. Sa kaliémie est de 3,3 mEq/L. ▶

À revoir

42 *Manifestations cliniques : insuffisance cardiaque chronique*

42 *Processus thérapeutique en interdisciplinarité : insuffisance cardiaque chronique – Pharmacothérapie*

13. Quels sont les deux points que l'infirmier devrait couvrir dans l'enseignement à monsieur Moreau, compte tenu de sa nouvelle médication ?

14. Pourquoi la pression artérielle de monsieur Moreau doit-elle être maintenue dans les limites inférieures ?

15. Qu'est-ce qui peut expliquer la nycturie de monsieur Moreau ?

16. Dans quel but le client prend-il du furosémide (Lasix[MD]) ?

17. Pourquoi est-ce important de surveiller la kaliémie de monsieur Moreau ?

18. Compte tenu du résultat de la kaliémie et de la diarrhée que le client présente depuis quelques jours, quel problème clinique doit être suspecté ?

19. Pourquoi est-il important d'informer monsieur Moreau de faire vérifier sa pression artérielle régulièrement lorsqu'il sera chez lui ?

▶ L'infirmier vérifie les connaissances de monsieur Moreau par rapport à son alimentation, de même que sa tolérance à un effort. Il révise avec lui les recommandations nutritionnelles et les moyens à prendre pour augmenter sa tolérance pendant ses activités. ◀

À revoir

Insuffisance cardiaque – Thérapie nutritionnelle

Soins et traitements infirmiers – Client atteint d'insuffisance cardiaque

20. Quelle est la principale restriction alimentaire que monsieur Moreau doit respecter ?

21. Pourquoi monsieur Moreau devra-t-il continuer à respecter une restriction liquidienne de 1 500 ml par jour, même à domicile ?

22. Citez deux points que le client aurait avantage à respecter pour être moins essoufflé ou fatigué à la suite d'une activité et pour conserver son énergie.

Situation de santé — Jugement **clinique**

Insuffisance cardiaque et œdème aigu du poumon *(suite)*

Client : monsieur Jean-Luc Moreau

www.cheneliere.ca/lewis

Chapitres à consulter

ÉVALUATION CLINIQUE
Système cardiovasculaire

INTERVENTIONS CLINIQUES
Insuffisance cardiaque

Monsieur Jean-Luc Moreau se trouve actuellement en observation à l'urgence pour traiter un problème récurrent de surcharge liquidienne. ▶

À revoir

Insuffisance cardiaque – Thérapie nutritionnelle

1. Quelles sont les trois causes possibles d'une récurrence de l'insuffisance cardiaque de monsieur Moreau ?

▶ Le médecin veut que monsieur Moreau passe une échographie cardiaque transthoracique (E.T.T.). Ce dernier demande à l'infirmière de lui expliquer la différence entre cette échographie et l'échographie transœsophagienne (E.T.O.) qu'il a déjà subie dans le passé au cours d'un épisode de tachyarythmie. ▶

À revoir

Échocardiographie

2. Quelle est la différence entre ces deux examens paracliniques ?

▶ Monsieur Moreau est nauséeux et sa pulsation est à 70/min. Il prend de la digoxine (Lanoxin[MD]) 0,25 mg die et du chlorure de potassium (K-Dur[MD]) 20 mEq b.i.d. en plus de ses autres médicaments (*voir situation 7*). Voici quelques résultats d'examens paracliniques :

- Na^+ sérique : 135 mmol/L
- K^+ : 3,3 mmol/L
- Digoxinémie : 3 mmol/L ▶

À revoir

42 *Pharmacothérapie – Inotropes positifs*

3. D'après ces résultats, quel médicament doit être administré prioritairement à monsieur Moreau parmi ceux qu'il prend ? Justifiez votre réponse.

4. Quelle autre décision doit être prise concernant la médication et les résultats des examens paracliniques ? Justifiez votre réponse.

▶ Monsieur Moreau est plus pâle qu'à son arrivée à l'urgence. Sa peau est moite et froide, et il présente des signes d'anxiété. Il est dyspnéique et adopte spontanément la position assise. ▶

À revoir

42 *Manifestations cliniques : insuffisance cardiaque en décompensation aiguë*

5. À quoi font penser ces manifestations ?

6. Citez au moins quatre autres signes à rechercher en lien avec une éventuelle complication pulmonaire.

7. Des ronchis bilatéraux sont entendus à l'auscultation pulmonaire de monsieur Moreau. Quels autres types de râles peuvent également être entendus ?

▶ Vers 21 h 15, l'état de monsieur Moreau se détériore. Même s'il reçoit de l'oxygène par lunettes nasales, il est de plus en plus dyspnéique, mais il arrive à dire qu'il manque d'air et il s'agite. Un soluté de Dextrose 5 % dans l'eau est en cours en TVO. Une dose de furosémide (Lasix[MD]) 40 mg I.V. est administrée, de même qu'une dose de morphine 4 mg I.V. et du nitroprussiate de sodium (Nipride[MD]) 50 mg I.V. ▶

À revoir

Processus thérapeutique en interdisciplinarité : insuffisance cardiaque en décompensation aiguë

42 *Pharmacothérapie*

42 *Soins et traitements infirmiers – Client atteint d'insuffisance cardiaque – Interventions cliniques – Intervention en phase aiguë*

8. Dans quel but le furosémide et la morphine sont-ils administrés à monsieur Moreau ?

9. Dans quelle position monsieur Moreau doit-il être installé dans son lit ? Justifiez votre réponse.

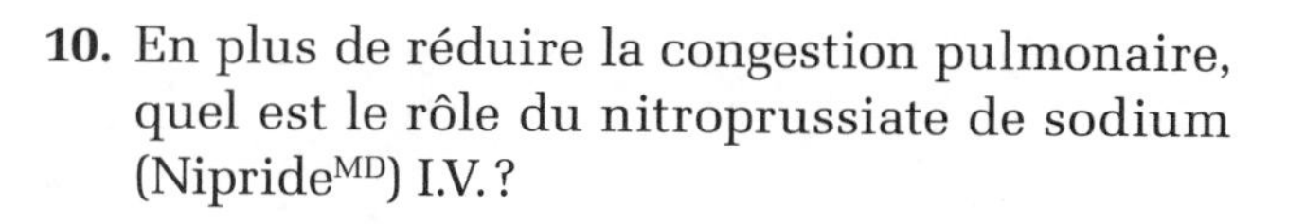

10. En plus de réduire la congestion pulmonaire, quel est le rôle du nitroprussiate de sodium (Nipride[MD]) I.V. ?

11. Quel signe vital est à surveiller de très près chez monsieur Moreau pendant l'administration I.V. de nitroprussiate de sodium? Expliquez votre réponse.

12. Quel débit d'oxygène donnerez-vous à monsieur Moreau? Justifiez votre réponse.

13. Pourquoi est-ce important de diminuer l'anxiété que vit monsieur Moreau actuellement ?

▶ En raison de l'acuité de son état de santé, monsieur Moreau sera hospitalisé à l'unité de soins intensifs. L'infirmière qui s'occupe du client décide de déterminer un plan thérapeutique infirmier. ◀

14. Quel problème prioritaire faut-il ajouter à l'extrait du plan thérapeutique infirmier de monsieur Moreau dans le but d'assurer la surveillance clinique de son état de santé ? Inscrivez votre réponse vis-à-vis du numéro 2.

Extrait

CONSTATS DE L'ÉVALUATION								
Date	Heure	N°	Problème ou besoin prioritaire	Initiales	RÉSOLU / SATISFAIT			Professionnels / Services concernés
					Date	Heure	Initiales	
2011-03-25	*18:10*	*1*	*Récidive de surcharge liquidienne*	*MF*				
	21:15	*2*						

Vos initiales

Signature de l'infirmière	Initiales	Programme / Service	Signature de l'infirmière	Initiales	Programme / Service
Magalie Fortier	*MF*	*Urgence*			
		Urgence			

Votre signature

Vos initiales

Situation de santé — Jugement **clinique**

Cataractes

Cliente : madame Georgette Charpentier

www.cheneliere.ca/lewis

Chapitres à consulter

ÉVALUATION CLINIQUE
Systèmes visuel et auditif

INTERVENTIONS CLINIQUES
Troubles visuels et auditifs

Ayant remarqué que sa vision était floue, madame Georgette Charpentier, 70 ans, a consulté son optométriste, qui l'a dirigée vers un ophtalmologiste. Ce dernier a diagnostiqué des cataractes aux deux yeux. Madame Charpentier voit son médecin de famille annuellement. Depuis un peu moins d'un an, sa glycémie à jeun varie entre 7,5 et 9,0 mmol/L, et elle est traitée avec metformine (Glucophage[MD]) 500 mg au déjeuner et au souper. ▶

À revoir

28 *Examen physique – Évaluation de l'état fonctionnel – Pression intraoculaire*

28 *Effets du vieillissement sur le système visuel – Données objectives – Examen physique – Techniques spéciales d'évaluation*

29 *Cataracte – Étiologie et physiopathologie*

1. Quel facteur peut avoir contribué le plus à l'apparition de cataractes chez madame Charpentier?

____

____

____

2. En plus de la vision floue, nommez deux autres indices de cataractes à rechercher chez la cliente.

____

____

____

3. Afin de vérifier si la cliente était également atteinte de glaucome, l'ophtalmologiste a mesuré la pression intraoculaire. Quel test permet de faire cette vérification?

____

▶ Madame Charpentier est admise à l'unité de chirurgie d'un jour pour l'exérèse d'une cataracte avec implantation d'une lentille intraoculaire souple à l'œil droit. Elle n'est pas à jeun. Comme préparation préopératoire spécifique, l'infirmière lui a instillé une goutte de chlorhydrate de phényléphrine (Neo-Synephrine[MD]) et de chlorhydrate de cyclopentolate (Cyclogyl[MD]) dans l'œil. Elle a également reçu du lorazépam (Ativan[MD]) 1 mg *per os*. ▶

À revoir

29 *Cataracte – Traitement chirurgical – Phase préopératoire*

29 *Cataracte – Pharmacothérapie*

4. Dans quel but les deux médicaments sont-ils instillés dans l'œil avant que la cliente subisse sa chirurgie?

5. Pourquoi le lorazépam est-il administré à la cliente en période préopératoire?

▶ Madame Charpentier est de retour de sa chirurgie. La cliente devra s'administrer de l'apo-ofloxacin 0,3 %, une goutte t.i.d., et népafénac (Nevanac[MD]) 0,1 %, une goutte q.i.d. pendant une semaine. L'infirmière lui donne l'enseignement relatif à la médication et aux précautions postopératoires spécifiques d'une exérèse de cataractes. ▶

À revoir

29 *Cataracte – Traitement chirurgical – Phase postopératoire*

29 *Enseignement au client et à ses proches – Après une chirurgie oculaire*

6. Quelle explication l'infirmière donnera-t-elle à madame Charpentier concernant l'administration de l'apo-ofloxacin et du népafénac?

7. Quelle sensation la cliente peut-elle éprouver à l'œil droit après la chirurgie?

8. Pour éviter qu'une augmentation de la pression intraoculaire ne survienne, quelles précautions madame Charpentier devra-t-elle prendre? Nommez-en trois.

9. L'infirmière avise la cliente de porter un protecteur oculaire (« œil de pirate ») pendant la nuit et de ne pas dormir du côté opéré. Pourquoi cette recommandation est-elle importante?

10. Quelle autre précaution madame Charpentier doit-elle respecter pour éviter une infection à son œil droit?

▶ Tout se déroule normalement, et madame Charpentier peut quitter l'unité de chirurgie d'un jour. Son époux l'accompagne. ▶

À revoir

29 *Cataracte – Traitement chirurgical – Phase postopératoire*

11. Pourquoi la cliente ne peut-elle quitter l'unité de soins toute seule ?

▶ Un mois plus tard, madame Charpentier a subi la même opération à l'œil gauche. Encore une fois, tout s'est déroulé sans complications. ▶

12. Est-il nécessaire de déterminer un plan thérapeutique infirmier pour madame Charpentier ? Justifiez votre réponse.

▶ Cinq semaines après la deuxième chirurgie, madame Charpentier ressentait le besoin de se frotter les yeux. Elle présentait un larmoiement presque continu à l'œil gauche. L'ophtalmologiste a alors diagnostiqué une uvéite et il a prescrit des instillations d'acétate de prednisolone 1 %, une goutte dans l'œil gauche t.i.d. pendant une semaine. ◀

À revoir

Inflammation et infection intraoculaires

13. Nommer deux symptômes d'uvéite que la cliente aurait pu ressentir en plus du larmoiement.

14. Pourquoi l'ophtalmologiste a-t-il prescrit de l'acétate de prednisolone à la cliente ?

Situation de santé

Jugement **clinique**

Hypertension

Client : monsieur Stanley Métellus

www.cheneliere.ca/lewis

Chapitre à consulter

INTERVENTIONS CLINIQUES
Hypertension

Monsieur Stanley Métellus a 66 ans et il est veuf. Il a immigré au Québec il y a six mois pour rejoindre le seul enfant qu'il lui reste à la suite d'un grave tremblement de terre qui a détruit sa maison en Haïti. Tous les autres membres de sa famille y ont trouvé la mort. Il se décrit comme une personne sereine, même s'il trouve l'adaptation à une nouvelle société plutôt difficile. Il ne parle couramment que le créole, mais il s'exprime un peu en français. Il est diabétique de type 2 traité avec metformine (Glucophage[MD]) et glyburide (Diabeta[MD]). Il y a environ six mois, sa pression artérielle se maintenait entre 142/90 et 146/94. Il prenait alors nadolol 80 mg die. Au cours d'une récente visite chez le médecin, sa pression était à 170/92. Le fils de monsieur Métellus accompagnait son père et servait d'interprète. ▶

À revoir

40 *Hypertension – Étiologie*

40 *Physiopathologie de l'hypertension primaire*

1. Au moment de l'évaluation initiale, citez au moins trois données à rechercher aidant à dresser le profil clinique de monsieur Métellus pour son problème d'hypertension artérielle.

2. À quelle catégorie peut être associée l'hypertension artérielle de monsieur Métellus ?

▶ Afin d'examiner davantage la situation de santé de monsieur Métellus, le médecin a demandé que la pression artérielle (P.A.) soit vérifiée pendant 24 heures par monitorage ambulatoire de la pression artérielle (MAPA). Il a aussi prescrit une vérification de la kaliémie, de la clairance à la créatinine, de la créatininémie et de l'azote uréique, de même qu'un électrocardiogramme (ECG). ▶

À revoir

40 *Examens paracliniques*

40 *Monitorage ambulatoire de la pression artérielle*

3. Qu'est-ce que le client doit savoir à propos du MAPA ?

4. Pourquoi est-ce justifié de vérifier la kaliémie, la clairance à la créatinine, la créatininémie et l'azote uréique chez ce client ?

5. À quoi sert le test d'ECG dans le cas de l'hypertension artérielle de monsieur Métellus ?

▶ L'indice de masse corporelle (IMC) de monsieur Métellus est de 27. Le client fume une dizaine de cigarettes par jour et mange beaucoup de viande rouge, mais il n'utilise que très peu de sel. Il est friand des desserts très sucrés, même s'il doit se restreindre à cause de son diabète. « Il triche parfois et c'est difficile pour lui de ne pas boire de rhum haïtien tous les jours », explique son fils. Avec ce dernier, il a pris l'habitude de marcher tous les jours et de se rendre à l'église pour rencontrer d'autres personnes de sa communauté. ▶

À revoir

40 *Processus thérapeutique en interdisciplinarité*

6. Dans les habitudes de vie de monsieur Métellus, quels sont les éléments qu'il devrait changer pour atteindre et maintenir une P.A. souhaitable ? Justifiez votre réponse à partir des caractéristiques connues du client.

▶ Le résultat du MAPA montre des valeurs de pression artérielle systolique (P.A.S.) supérieures à 160 mm Hg et des valeurs de pression artérielle diastolique (P.A.D.) supérieures à 90 mm Hg. Le médecin a proposé au client de doubler la dose de nadolol et d'ajouter du furosémide (Lasix[MD]) 20 mg die. ▶

À revoir

40 *Pharmacothérapie*

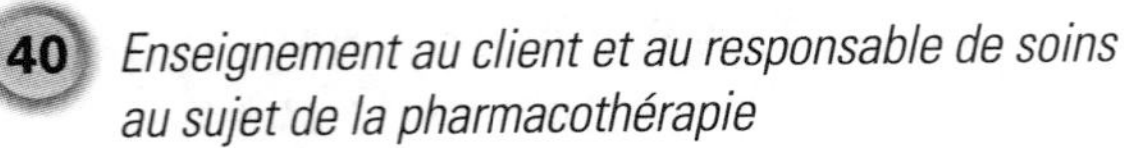

40 *Enseignement au client et au responsable de soins au sujet de la pharmacothérapie*

7. Quel est le but de l'augmentation de la dose de nadolol ?

8. Pourquoi un diurétique est-il prescrit au client ?

9. Quel effet secondaire majeur monsieur Métellus risque-t-il de ressentir à la suite du changement dans sa médication ?

▶ Monsieur Métellus s'est procuré un sphygmomanomètre pour contrôler sa pression artérielle à la maison. Son fils dit que son père ne se soucie pas beaucoup de son hypertension, car ce dernier croit que c'est normal d'être hypertendu en vieillissant. ▶

À revoir

40 *Soins ambulatoires et soins à domicile – Monitorage de la pression artérielle à domicile*

40 *Considérations gérontologiques – Hypertension*

10. Quels points monsieur Métellus doit-il respecter pour que la mesure de sa pression artérielle soit la plus juste possible lorsqu'il la vérifie lui-même ?

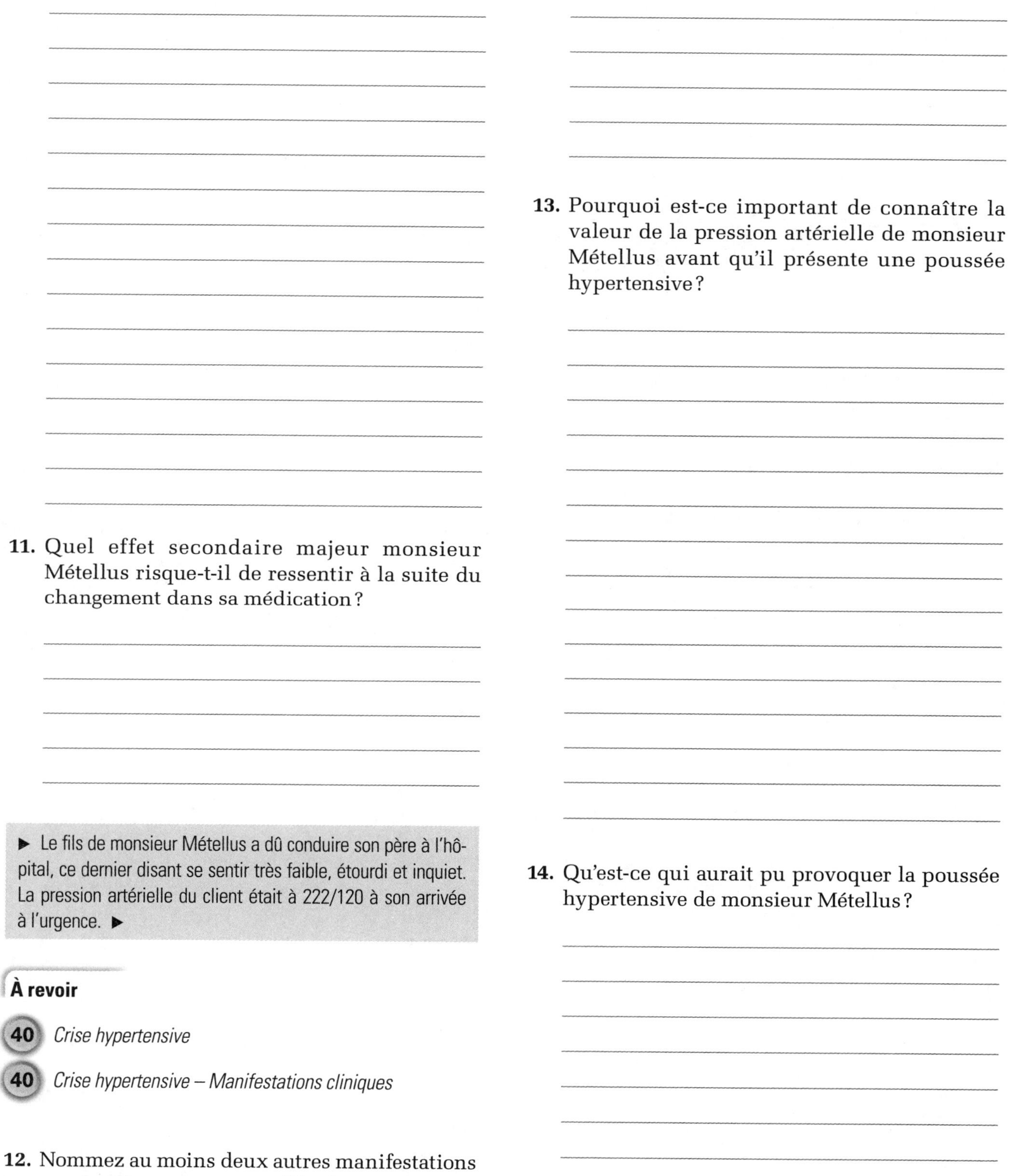

11. Quel effet secondaire majeur monsieur Métellus risque-t-il de ressentir à la suite du changement dans sa médication ?

▶ Le fils de monsieur Métellus a dû conduire son père à l'hôpital, ce dernier disant se sentir très faible, étourdi et inquiet. La pression artérielle du client était à 222/120 à son arrivée à l'urgence. ▶

À revoir

40 *Crise hypertensive*

40 *Crise hypertensive – Manifestations cliniques*

12. Nommez au moins deux autres manifestations que le client est susceptible de présenter en raison de sa pression artérielle élevée.

13. Pourquoi est-ce important de connaître la valeur de la pression artérielle de monsieur Métellus avant qu'il présente une poussée hypertensive ?

14. Qu'est-ce qui aurait pu provoquer la poussée hypertensive de monsieur Métellus ?

15. Quel risque principal pour sa santé monsieur Métellus court-il en ayant une pression artérielle aussi élevée ?

▶ L'infirmière a administré une dose de 20 mg I.V. d'hydralazine (Apresoline[MD]). Le client est sous moniteur cardiaque. ◀

À revoir

40 *Soins et traitements en interdisciplinarité – Client souffrant d'une crise hypertensive*

16. Quels sont les deux signes vitaux à surveiller de très près aux deux à trois minutes lorsque l'hydralazine est administrée I.V. à monsieur Métellus ? Justifiez votre réponse.

17. Pourquoi le client est-il sous moniteur cardiaque ?

Situation de santé

Jugement clinique

Infarctus du myocarde *(suite)*

Client : monsieur Stanley Métellus

www.cheneliere.ca/lewis

Chapitres à consulter

39 ÉVALUATION CLINIQUE
Système cardiovasculaire

40 INTERVENTIONS CLINIQUES
Hypertension

41 INTERVENTIONS CLINIQUES
Coronaropathie et syndrome coronarien aigu

43 INTERVENTIONS CLINIQUES
Arythmie

Depuis une semaine environ, monsieur Stanley Métellus ressentait des douleurs thoraciques lorsqu'il faisait un effort comme monter l'escalier pour rentrer chez lui ou lorsqu'il forçait pour déplacer un meuble. Il ne s'en inquiétait pas outre mesure, car les douleurs disparaissaient dès qu'il se reposait. Cependant, il a éprouvé une douleur dans la poitrine alors qu'il écoutait calmement la radio haïtienne vers 7 h. Même si la douleur perdurait depuis 25 minutes, il refusait d'aller à l'urgence, croyant que son malaise passerait, comme les autres fois. Son fils, inquiet, l'a conduit à l'hôpital, où ils sont arrivés vers 8 h.
Comme soins immédiats apportés à monsieur Métellus, l'infirmière a administré de l'oxygène à 3 L/min par lunettes nasales et elle a installé une perfusion I.V. de NaCl 0,9 %. Le client a également reçu une dose de sulfate de morphine 5 mg I.V. et quatre comprimés de 80 mg d'acide acétylsalicylique (Aspirin^{MD}) à croquer. ▶

À revoir

40 *Cardiopathie hypertensive – Coronaropathie*

41 *Facteurs de risque de la coronaropathie – Facteurs de risque non modifiables ; Principaux facteurs de risque modifiables*

41 *Considérations gérontologiques – Coronaropathie*

41 *Manifestations cliniques de l'infarctus du myocarde*

41 *Syndrome coronarien aigu – Processus thérapeutique en interdisciplinarité*

1. Au cours du triage à l'urgence, quelles sont les trois caractéristiques de la douleur qu'il est important de faire préciser par le client ou par son fils ?

2. En plus de l'évaluation de la douleur, nommez quatre autres données à vérifier auprès du client.

3. En vous référant aux données initiales de la situation 10, citez les cinq facteurs qui ont pu contribuer à l'apparition d'un syndrome coronarien aigu chez monsieur Métellus.

4. Parmi les facteurs de risque de coronaropathie présents chez ce client, mentionnez ceux qui sont modifiables et ceux qui ne le sont pas.

5. Quels autres facteurs de risque, non apparents dans cette mise en contexte, sont à rechercher en lien avec un syndrome coronarien aigu?

6. Pourquoi l'infirmière a-t-elle administré tout de suite de l'oxygène au client?

7. Pour quelle raison lui a-t-elle également administré du sulfate de morphine I.V.?

▶ Voici un extrait d'une bande de rythme d'ECG de monsieur Métellus pris à son arrivée à l'urgence:

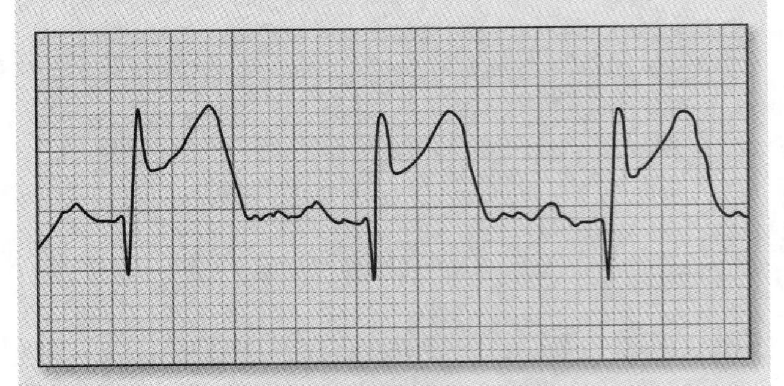

Référence: Société Médicilline (2010). *Infarctus: comprendre l'infarctus du myocarde.* [En ligne]. www.infarctus.com/diagnostic.htm (page consultée le 5 décembre 2010). ▶

Pour confirmer le diagnostic d'infarctus du myocarde (IM), des examens sanguins ont été faits, et ils affichent les résultats suivants pour les biomarqueurs sériques:

- Créatinine kinase (CK-MB): 4 %
- Troponines: TnTc 0,25 mcg/ml – Tnlc 0,45 mcg/ml
- Myoglobine: 180 mcg/L

À revoir

41 *Syndrome coronarien aigu – Examen clinique et examens paracliniques*

8. Les résultats sanguins permettent-ils de conclure de façon certaine que le client présente actuellement un infarctus du myocarde? Justifiez votre réponse.

9. Quelles constatations faites-vous en analysant l'extrait de la bande de rythme présenté ?

▶ Après avoir été en observation pendant cinq heures, monsieur Métellus a été hospitalisé à l'unité de soins intensifs coronariens. Un contrôle des biomarqueurs a de nouveau été fait, et un ECG à 12 dérivations a montré le tracé suivant qui permet de confirmer un diagnostic d'infarctus de la paroi antérieure du myocarde:

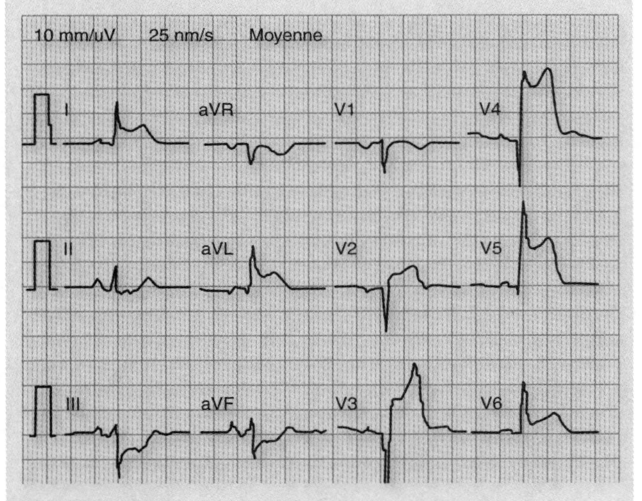

Référence : Adrénaline (2006). *Infarctus aigu du myocarde.* [En ligne]. www.adrenaline112.org/urgences/DUrge/DCard/IdM.html (page consultée le 3 décembre 2010). ▶

À revoir

41 *Syndrome coronarien aigu – Examen clinique et examens paracliniques*

43 *Changements électrocardiographiques associés au syndrome coronarien aigu*

10. Compte tenu du diagnostic d'infarctus de la paroi antérieure du myocarde, quelle artère coronaire est atteinte chez monsieur Métellus ?

11. À ce stade-ci de l'histoire de monsieur Métellus, quel biomarqueur est le plus révélateur d'un infarctus du myocarde ?

▶ Voici deux bandes de rythme de l'ECG de monsieur Métellus :

Tracé A

Tracé B

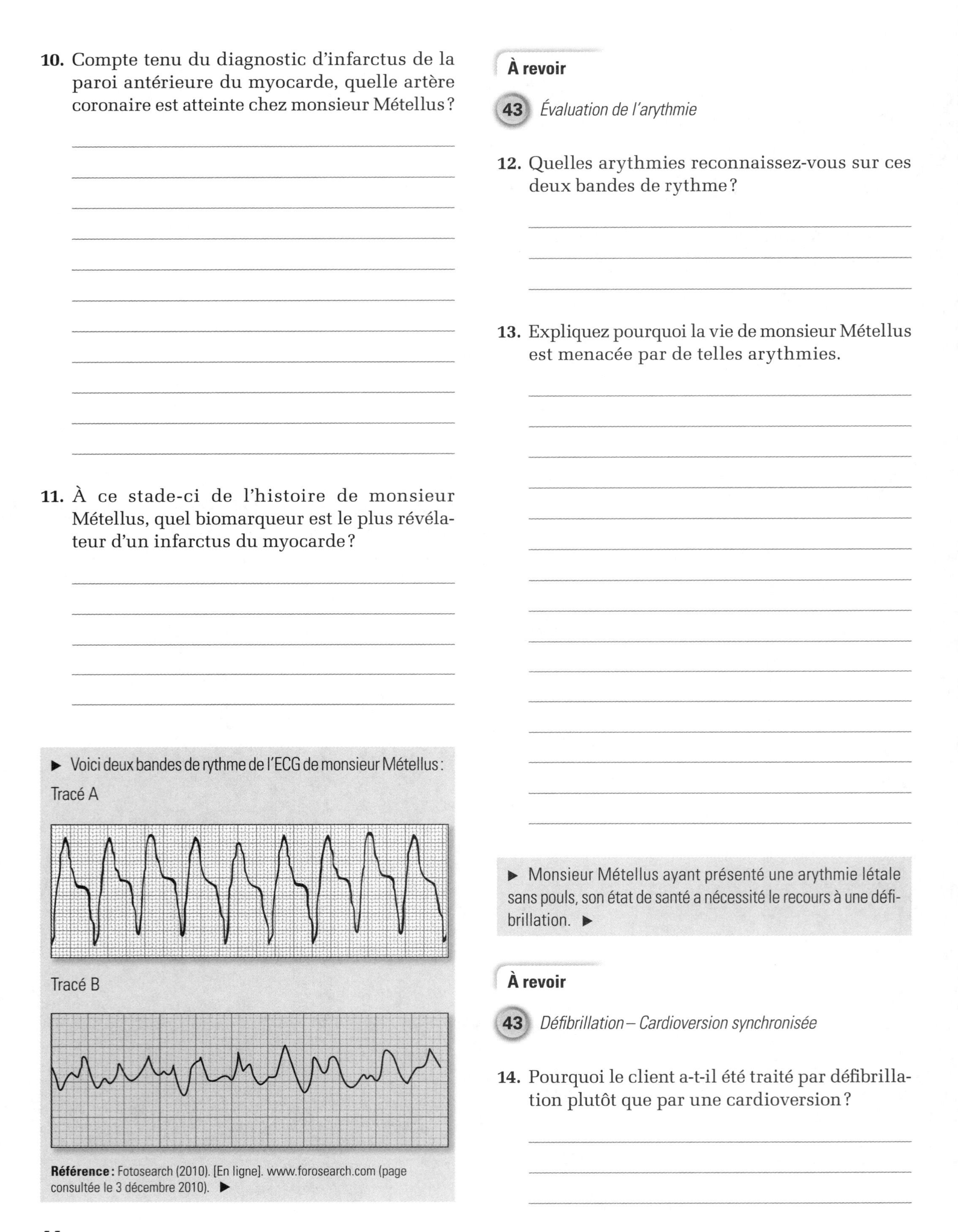

Référence : Fotosearch (2010). [En ligne]. www.forosearch.com (page consultée le 3 décembre 2010). ▶

À revoir

43 *Évaluation de l'arythmie*

12. Quelles arythmies reconnaissez-vous sur ces deux bandes de rythme ?

13. Expliquez pourquoi la vie de monsieur Métellus est menacée par de telles arythmies.

▶ Monsieur Métellus ayant présenté une arythmie létale sans pouls, son état de santé a nécessité le recours à une défibrillation. ▶

À revoir

43 *Défibrillation – Cardioversion synchronisée*

14. Pourquoi le client a-t-il été traité par défibrillation plutôt que par une cardioversion ?

À revoir

43 *Surveillance électrocardiographique – Surveillance par télémétrie*

 *Stimulateurs cardiaques*

▶ Monsieur Métellus a heureusement pu être réanimé à la suite d'un arrêt cardiaque, et son état est stable pour le moment. Cependant, un stimulateur cardiaque défibrillateur permanent a dû être installé, et le client a pu quitter l'unité de soins intensifs (USI). Il est toutefois sous surveillance continue par télémétrie et il ne comprend pas ce que c'est. Il craint que son état de santé ne se détériore s'il n'est pas suivi aux soins intensifs. ▶

15. Quelle explication lui donnerez-vous concernant la surveillance continue par télémétrie?

16. À ce stade-ci de l'histoire, quel problème prioritaire nécessite un suivi clinique particulier de l'état de santé de monsieur Métellus? Inscrivez-le dans l'extrait du plan thérapeutique infirmier ci-dessous.

Extrait

CONSTATS DE L'ÉVALUATION								
Date	Heure	N°	Problème ou besoin prioritaire	Initiales	RÉSOLU / SATISFAIT			Professionnels / Services concernés
					Date	Heure	Initiales	
2011-05-09	*11:15*	*2*						

Vos initiales

Signature de l'infirmière	Initiales	Programme / Service	Signature de l'infirmière	Initiales	Programme / Service
		USI			

Votre signature

Vos initiales

17. Quelle différence le client doit-il connaître entre un stimulateur cardiaque permanent et un stimulateur temporaire?

18. Quelles sont les caractéristiques d'un stimulateur cardiaque défibrillateur?

19. Citez au moins cinq points à aborder dans l'enseignement à monsieur Métellus concernant la présence d'un stimulateur cardiaque permanent.

▶ Le fils de monsieur Métellus vient visiter son père tous les jours en début d'après-midi. Le client retournera à domicile demain, et l'enseignement de départ est déjà amorcé. Il parle peu le français, sa langue maternelle étant le créole. L'infirmière doit parfois répéter une même information, et pour s'assurer qu'il comprend bien, elle décide d'attendre la visite du fils pour continuer l'enseignement en vue du départ. ◀

À revoir

41 *Interventions cliniques: syndrome coronarien aigu – Enseignement au client et à ses proches*

41 *Interventions cliniques: syndrome coronarien aigu – Dépense énergétique exprimée en équivalents métaboliques (MET)*

Pharmacothérapie – Dérivés nitrés à action rapide – Nitroglycérine sublinguale

20. Quelle activité physique est à recommander à monsieur Métellus ?

21. Quels sont les cinq principaux points d'enseignement à couvrir pour que monsieur Métellus puisse porter plus d'attention à son état de santé ?

22. Nommez quatre points principaux à aborder avec le client et son fils au moment de l'enseignement sur la nitroglycérine (Nitrolingual[MD]).

Accident vasculaire cérébral *(suite)*

Client : monsieur Stanley Métellus

www.cheneliere.ca/lewis

Chapitres à consulter

ÉVALUATION CLINIQUE
Système nerveux

INTERVENTIONS CLINIQUES
Accident vasculaire cérébral

Résumé des SA10 et SA11 : Monsieur Métellus, 66 ans, est diabétique de type 2 et présente une pression artérielle élevée. Il a fait un court séjour à l'urgence à la suite d'une poussée hypertensive. Par la suite, il est revenu à l'urgence parce qu'il avait ressenti une douleur thoracique qui perdurait. Un diagnostic d'infarctus du myocarde a été posé, et le client a été hospitalisé à l'unité de soins intensifs où des arythmies létales ont nécessité des manœuvres de réanimation. Monsieur Métellus est retourné chez lui et il est maintenant porteur d'un stimulateur cardiaque défibrillateur permanent.

Monsieur Métellus a fait son infarctus il y a deux mois. Il est à nouveau à l'urgence, car il présente une faiblesse marquée du côté droit, son côté dominant. Au petit déjeuner, il a renversé du café et du jus. Lorsqu'il a voulu se lever de table, il a perdu l'équilibre et est tombé, étant incapable de se tenir sur ses jambes. D'après son fils, il prononçait des mots incompréhensibles. L'infirmière au triage a tout de suite envisagé la possibilité d'un accident vasculaire cérébral (AVC). ▸

À revoir

18 *Examen clinique du système nerveux – Données subjectives ; Données objectives*

20 *Soins et traitements infirmiers – Interventions cliniques – Promotion de la santé*

1. En plus de ceux qui sont mentionnés précédemment, citez au moins cinq autres signes avant-coureurs d'un AVC que monsieur Métellus aurait pu présenter.

2. En plus des éléments déjà connus dans l'histoire de monsieur Métellus, nommez au moins quatre renseignements à obtenir concernant les antécédents de santé, au moment de l'évaluation initiale.

3. Plusieurs facteurs de risque ont prédisposé ce client à faire un AVC. Nommez-en deux autres à considérer et expliquez leur importance dans l'apparition d'un tel trouble de santé.

4. Comment pouvez-vous évaluer une atteinte du nerf facial chez monsieur Métellus ?

5. Pour quelle raison le champ visuel mérite-t-il d'être évalué chez ce client ?

6. En raison de l'atteinte neurologique suspectée, quels points à évaluer renseigneront sur les fonctions du nerf oculomoteur (nerf crânien III) ?

7. Comme monsieur Métellus présente une faiblesse marquée au côté droit, comment procéderez-vous à l'évaluation motrice des membres supérieurs et inférieurs ?

▶ Une tomodensitométrie a confirmé un diagnostic d'accident vasculaire cérébral thrombotique dans l'artère cérébrale moyenne. ▶

À revoir

18 *Examens paracliniques du système nerveux – Examens radiologiques*

20 *Examen clinique et examens paracliniques*

8. À ce stade-ci de la situation de monsieur Métellus, pourquoi la tomodensitométrie est-elle préférable à l'imagerie par résonnance magnétique?

9. Comme l'AVC de monsieur Métellus est d'origine thrombotique, quel examen paraclinique permettrait de déterminer la présence d'athérosclérose?

▶ Comme l'AVC implique l'artère cérébrale moyenne, monsieur Métellus présente une hémiplégie droite, plus manifeste au bras qu'à la jambe; son épaule est en rotation interne, alors que sa hanche exerce une rotation externe. Il est aphasique et, selon son fils, le client dit des mots qui ne sont pas créoles, comme *giligoum* ou *katis*. Son fils a tendance à lui parler plus fort pour être certain qu'il comprenne. ▶

À revoir

20 *Manifestations cliniques d'un accident vasculaire cérébral*

20 *Plan de soins et de traitements infirmiers – Accident vasculaire cérébral*

10. Quelles sont les deux caractéristiques observables au pied droit?

11. Qu'est-ce qui explique l'aphasie de monsieur Métellus?

12. D'après ce qui est rapporté par son fils, quel type d'aphasie le client présente-t-il?

13. Trouvez trois interventions susceptibles de faciliter la communication entre monsieur Métellus et le personnel soignant, et justifiez-en l'importance.

14. Pourquoi le fils du client n'a-t-il pas besoin de parler fort à son père pour se faire comprendre ?

▶ Le préposé aux bénéficiaires informe l'infirmière que, pendant les repas, monsieur Métellus tente de manger sa soupe avec un couteau et qu'il essaie de se peigner avec sa cuillère. Si le préposé se tient à la droite du client pour le faire manger, ce dernier ne tourne pas la tête pour regarder la nourriture offerte et ne trouve pas les ustensiles placés à sa droite. ▶

À revoir

20 *Manifestations cliniques d'un accident vasculaire cérébral*

20 *Soins et traitements infirmiers – Client victime d'un accident vasculaire cérébral*

20 *Plan de soins et de traitements infirmiers – Accident vasculaire cérébral*

15. Deux problèmes sont révélés par les observations faites par le préposé aux bénéficiaires. Lesquels ?

16. Nommez au moins quatre interventions à poser afin d'inciter monsieur Métellus à prêter attention aux deux côtés de son corps de manière appropriée.

▶ Monsieur Métellus tousse lorsqu'il mange, ce qui inquiète beaucoup son fils qui ne sait quoi faire lorsque c'est lui qui le fait manger. La nutritionniste et l'orthophoniste ont évalué un problème de dysphagie, et le personnel soignant applique les consignes à respecter pour une personne dysphagique. Entre autres, le client reste assis pendant 30 minutes après les repas. ▶

À revoir

20 *Soins et traitements infirmiers – Client victime d'un accident vasculaire cérébral*

20 *Plan de soins et de traitements infirmiers – Accident vasculaire cérébral*

17. Dans l'extrait du plan thérapeutique infirmier de monsieur Métellus, écrivez deux directives infirmières s'adressant au fils du client afin de l'impliquer de façon adéquate lorsqu'il fait manger son père.

18. Pourquoi monsieur Métellus doit-il rester assis pendant au moins 30 minutes après avoir mangé ?

▶ Dès que monsieur Métellus a été admis à l'unité de soins, le personnel soignant a commencé à lui faire pratiquer des exercices passifs d'amplitude aux membres droits et porte une attention particulière au positionnement du client lorsque celui-ci est assis au fauteuil ou couché dans son lit. ▶

À revoir

20 *Soins et traitements infirmiers – Client victime d'un accident vasculaire cérébral – Système locomoteur*

19. Quel est le but poursuivi par les exercices passifs commencés dès l'admission du client à l'unité de soins ?

Extrait

CONSTATS DE L'ÉVALUATION								
Date	Heure	N°	Problème ou besoin prioritaire	Initiales	RÉSOLU / SATISFAIT			Professionnels / Services concernés
					Date	Heure	Initiales	
2011-03-15	*11:45*	*2*	*Dysphagie*	*VR*				*Nutritionniste*
								Orthophoniste

SUIVI CLINIQUE							
Date	Heure	N°	Directive infirmière	Initiales	CESSÉE / RÉALISÉE		
					Date	Heure	Initiales
2011-03-15	*11:45*	*2*					

Vos initiales

Signature de l'infirmière	Initiales	Programme / Service	Signature de l'infirmière	Initiales	Programme / Service
Vanessa Rougier	*VR*	*2ᵉ AB – Pavillon 1*			
		2ᵉ AB – Pavillon 1			

Votre signature — Vos initiales

20. Lorsque monsieur Métellus est assis au fauteuil, pourquoi est-il important de surélever sa main droite sur un oreiller de façon à ce qu'elle soit plus haute que le coude?

21. Pendant les mobilisations du client, pourquoi faut-il s'abstenir de le tirer par le bras droit?

22. Pour chacune des positions suivantes, précisez les particularités à respecter pendant le positionnement de monsieur Métellus.

Décubitus dorsal:

Décubitus latéral droit :

Décubitus latéral gauche :

Position assise au fauteuil :

23. Serait-ce approprié d'installer une écharpe au bras droit du client pendant la marche et les transferts du lit au fauteuil, et du fauteuil au lit ? Justifiez votre réponse.

▶ Au moment du dernier changement de position pendant la nuit, vers 6 h, le préposé aux bénéficiaires a remarqué que la peau du client était plus foncée à la malléole externe droite. ▶

À revoir

20 *Soins et traitements infirmiers – Client victime d'un accident vasculaire cérébral – Interventions cliniques – Phase aiguë – Système tégumentaire*

24. Diriez-vous que monsieur Métellus risque de présenter une lésion de pression à la malléole externe droite ? Justifiez votre réponse.

▶ En plus de l'infirmière et du médecin, plusieurs autres professionnels de la santé sont impliqués dans la réadaptation de monsieur Métellus pour maximiser son autonomie et faciliter son retour à domicile. ◀

À revoir

20 *Soins ambulatoires et soins à domicile*

25. Pour chacun des intervenants professionnels suivants, expliquez leur rôle dans la réadaptation de monsieur Métellus.

Physiothérapeute :

Ergothérapeute :

Orthophoniste :

Nutritionniste :

Hémorroïdectomie

Client : monsieur Roland Fugère

www.cheneliere.ca/lewis

Chapitres à consulter

INTERVENTIONS CLINIQUES
Soins préopératoires

INTERVENTIONS CLINIQUES
Soins postopératoires

ÉVALUATION CLINIQUE
Système gastro-intestinal

57 INTERVENTIONS CLINIQUES
Troubles du tractus gastro-intestinal inférieur

Monsieur Roland Fugère, 60 ans, a travaillé comme déménageur pendant de nombreuses années. Il a pris sa retraite il y a deux mois, mais il continue à s'occuper en faisant des travaux de rénovation. Il consulte une infirmière praticienne spécialisée en soins de première ligne au groupe de médecine familiale de son arrondissement parce qu'il présente des hémorroïdes externes. ▶

À revoir

57 *Constipation*

57 *Hémorroïdes*

1. Au moment de l'évaluation initiale de monsieur Fugère, vous devez vous enquérir des symptômes classiques des hémorroïdes. Nommez-en trois.

2. Quelle donnée supplémentaire pouvez-vous obtenir en procédant à un toucher rectal ?

3. Quelle question à poser au client sur ses habitudes d'élimination intestinale permettrait de déterminer un facteur en cause dans l'apparition de ses hémorroïdes ? Justifiez votre réponse.

4. Nommez une autre donnée à recueillir qui renseignerait sur les moyens pris par le client pour favoriser son élimination intestinale.

5. Quelle caractéristique de l'alimentation du client peut avoir des répercussions sur l'apparition de ses hémorroïdes ?

6. D'après les données initiales connues de la situation de santé de monsieur Fugère, laquelle peut avoir contribué le plus à l'apparition des hémorroïdes ?

▶ Monsieur Fugère aura à subir une sigmoïdoscopie sur une base ambulatoire. Il ne comprend pas l'utilité de cet examen puisque ses hémorroïdes sont externes. ▶

À revoir

53 *Examens paracliniques du système gastro-intestinal*

7. Quel est alors le but de la sigmoïdoscopie pour monsieur Fugère ?

8. Que doit-il savoir au sujet de cet examen ?

▶ Le médecin a prescrit docusate de Na (ColaceMD) die et proctosone (ProctosedylMD) en onguent. « Vous savez, je ne prends pas de pilules et j'aimerais bien me passer de cette prescription », dit-il à l'infirmière. ▶

À revoir

57 *Constipation – Examen clinique, examens paracliniques et processus thérapeutique en interdisciplinarité*

9. Quelle explication donnerez-vous à monsieur Fugère pour qu'il comprenne l'importance de cette prescription ?

▶ Malheureusement, monsieur Fugère devra subir une hémorroïdectomie pour les hémorroïdes externes et une ligature élastique pour celles qui sont internes. Comme la chirurgie se fera sur une base ambulatoire, le client rencontre une infirmière au service de préadmission. ▶

À revoir

46 *Évaluation préopératoire du client par l'infirmière*

46 *Information propre à la chirurgie ambulatoire*

57 *Constipation – Examen clinique, examens paracliniques et processus thérapeutique en interdisciplinarité*

10. Pour compléter la collecte préopératoire des données, il convient de questionner le client sur plusieurs points précis. Citez-en cinq.

11. Puisque monsieur Fugère sera opéré sur une base ambulatoire, en chirurgie d'un jour, nommez trois sujets à aborder au cours de l'enseignement préopératoire.

12. Quelle obligation légale doit être appliquée pour que le client subisse la chirurgie prévue?

▶ Monsieur Fugère a été opéré sous anesthésie rachidienne. L'évolution postopératoire se déroule de façon satisfaisante. L'infirmière recommande au client de prendre des bains de siège chauds (sédiluves) pendant 10 à 15 minutes deux fois par jour pendant une semaine. ◀

À revoir

48 *Congé de la chirurgie ambulatoire*

57 *Soins et traitements infirmiers – Client ayant des hémorroïdes*

13. L'infirmière a-t-elle raison de recommander des bains de siège au client? Justifiez votre réponse.

14. Citez trois recommandations à faire au client pour faciliter le recouvrement de son état de santé.

15. Citez deux critères à respecter pour que monsieur Fugère puisse quitter l'unité de chirurgie d'un jour.

SA14

Lithiase urinaire

Client : monsieur Isaac Horowitz

www.cheneliere.ca/lewis

Chapitres à consulter

10 Douleur

67 ÉVALUATION CLINIQUE
Système urinaire

68 INTERVENTIONS CLINIQUES
Troubles rénaux et urologiques

Monsieur Isaac Horowitz a 32 ans et il a toujours vécu en Israël. Il travaille comme comptable et parle parfaitement le français et l'anglais. Il considère qu'il a des habitudes alimentaires saines, car il boit presque un litre de lait et un litre de jus de fruits frais par jour. Il ne mange pas de viande de porc à cause des particularités alimentaires de sa religion ; en fait, il est lacto-ovo-végétarien. Alors qu'il était en visite en pleine canicule de juillet chez des parents au Québec, il a soudainement ressenti une douleur intense au flanc gauche. Il a été conduit à l'urgence, la douleur étant intolérable et constante. Les signes évoquent une colique néphrétique. Un problème de lithiase urinaire a tout de suite été suspecté, et ce diagnostic a été confirmé par une pyélographie I.V. Deux calculs sont situés dans l'uretère gauche, près de la jonction pyélo-urétérale. Monsieur Horowitz a déjà présenté ce problème à deux reprises dans le passé. ▶

À revoir

67 *Examens paracliniques du système urinaire*

68 *Calculs urinaires – Étiologie et physiopathologie*

68 *Calculs urinaires – Manifestations cliniques*

68 *Calculs urinaires – Examen clinique et examens paracliniques*

1. Quel phénomène physiopathologique peut expliquer la colique néphrétique de monsieur Horowitz ?

2. À quel endroit, autre que le flanc gauche, monsieur Horowitz peut-il ressentir sa douleur ?

3. En plus des caractéristiques de la douleur, trouvez quatre manifestations de la lithiase urinaire que l'infirmière au triage doit rechercher au moment de l'évaluation de l'état de santé actuel de monsieur Horowitz.

4. Quels sont les trois facteurs présents chez monsieur Horowitz qui ont pu contribuer à la formation de lithiase urinaire ?

5. Avant que monsieur Horowitz subisse la pyélographie I.V., quel renseignement fallait-il obtenir ?

▶ D'après monsieur Horowitz, la douleur est intolérable. L'infirmière lui administre de l'hydromorphone (Dilaudid[MD]) 2 mg S.C. à répéter q.4 h p.r.n. et l'avise de ne pas boire jusqu'à nouvel ordre. Elle l'informe que les urines seront filtrées. ▶

À revoir

 *Effets secondaires des opioïdes*

 *Évaluation de la douleur*

68 *Plan de soins et de traitements infirmiers – Lithiase rénale aiguë*

6. Après combien de temps monsieur Horowitz pourrait-il ressentir un soulagement de sa douleur ?

7. Quels paramètres doivent être vérifiés avant l'administration de l'hydromorphone ?

8. L'infirmière a-t-elle raison de demander à monsieur Horowitz de ne pas boire pour le moment ? Justifiez votre réponse.

▶ Une analyse d'urine indique un pH de 7,8 et une hématurie microscopique. Même si une pyélographie I.V. a déjà été faite, une échographie rénale est demandée, ainsi qu'une calcémie. ▶

À revoir

67 *Examens paracliniques du système urinaire*

68 *Calculs urinaires – Types*

9. Quel type de calcul urinaire le résultat du pH urinaire laisse-t-il entrevoir ?

10. Qu'est-ce qui peut expliquer l'hématurie microscopique ?

11. Monsieur Horowitz demande s'il y a une préparation spéciale pour l'échographie rénale. Que devez-vous lui répondre ?

12. Que doit-il savoir au sujet du but de l'échographie rénale ?

13. À quoi sert le test de calcémie dans le cas de monsieur Horowitz ?

▶ L'échographie rénale a permis de constater la présence de deux calculs de 1 et 2 mm dans l'uretère, en plus de ceux détectés par la pyélographie I.V. ▶

À revoir

Calculs urinaires – Processus thérapeutique en interdisciplinarité

14. Monsieur Horowitz peut-il arriver à expulser les calculs spontanément ? Justifiez votre réponse.

15. Monsieur Horowitz peut-il être traité par lithotritie, par extraction endo-urologique ou par extraction chirurgicale ? Justifiez votre réponse.

▶ Ce n'est pas sans douleur que monsieur Horowitz a réussi à expulser les quatre calculs par une miction hématurique. Étant encore sous l'effet des opioïdes, il est gardé en observation avant de pouvoir quitter l'hôpital. L'infirmière lui fait quelques recommandations pour diminuer les risques de récidives : diminuer l'apport de sel ; limiter les boissons gazeuses, le thé et le café ; diminuer sa consommation de jus de fruits et de lait ; augmenter la consommation d'eau jusqu'à trois litres par jour. ◀

À revoir

68 *Calculs urinaires – Thérapie nutritionnelle*

16. Justifiez chacune des recommandations nutritionnelles faites à monsieur Horowitz.

- Diminuer l'apport de sel :
- Limiter les boissons gazeuses, le thé et le café :
- Diminuer la consommation de jus de fruits et de lait :
- Augmenter la consommation d'eau jusqu'à trois litres par jour :

Situation de santé — Jugement **clinique**

SA15

Maladie de Crohn

Cliente : Gervaise Casavant

www.cheneliere.ca/lewis

Chapitres à consulter

 ÉVALUATION CLINIQUE
Système gastro-intestinal

 INTERVENTIONS CLINIQUES
Troubles nutritionnels

 INTERVENTIONS CLINIQUES
Troubles du tractus gastro-intestinal inférieur

Gervaise Casavant a 23 ans et elle fume depuis l'âge de 16 ans. Elle a perdu un peu de poids depuis un mois, et elle présente deux selles diarrhéiques par jour en moyenne, surtout après les repas. Elle ressent des crampes abdominales variant d'intensité. Ces constatations inhabituelles pour elle l'ont d'ailleurs amenée à consulter une infirmière praticienne spécialisée en soins de première ligne au groupe de médecine familiale près de chez elle.

Son médecin de famille a tout de suite soupçonné une colite ulcéreuse ou une maladie de Crohn. C'est pour cette raison qu'il a demandé que la cliente subisse une coloscopie et une endoscopie par capsule. ►

À revoir

53 *Données subjectives – Histoire de santé (AMPLE)*

53 *Examens paracliniques du système gastro-intestinal*

57 *Maladie inflammatoire chronique de l'intestin – Manifestations cliniques*

1. Pour dresser l'histoire du problème de santé de cette cliente, trouvez au moins quatre questions à lui poser permettant de recueillir des données autres que celles mentionnées ci-dessus.

____
____
____
____
____
____
____
____
____
____
____
____
____
____
____
____

2. Nommez au moins trois autres manifestations que madame Casavant pourrait présenter en lien avec un diagnostic de maladie de Crohn.

____
____
____
____
____
____
____

3. Pourquoi la cliente doit-elle subir les deux examens endoscopiques (coloscopie et endoscopie par capsule) ?

4. Quelle préparation intestinale la cliente doit-elle respecter pour subir les deux examens endoscopiques sur une base ambulatoire ?

Coloscopie : préparation laxative

Endoscopie par capsule : préparation laxative

5. Même si une complication comme la perforation intestinale est possible, quoique rare, citez au moins deux signes et symptômes à vérifier après la coloscopie.

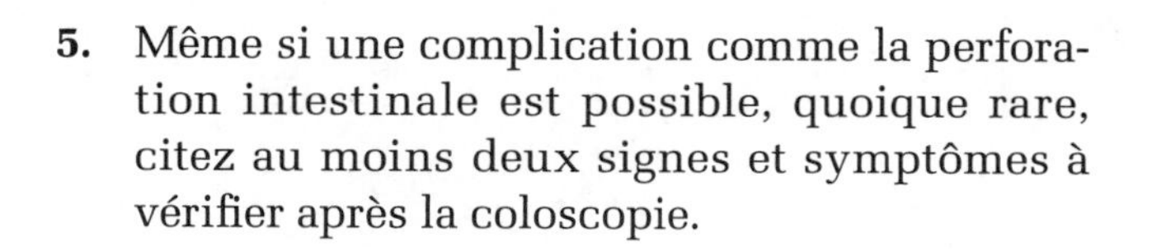

▶ Les examens endoscopiques ont confirmé une maladie de Crohn avec atteinte inflammatoire de l'iléon et du côlon ascendant, près de la valve iléocæcale, et des lésions discontinues. ▶

À revoir

57 *Maladie inflammatoire chronique de l'intestin – Étiologie et physiopathologie*

6. Que signifie ce résultat ?

▶ Voici les résultats de l'hémogramme et du bilan électrolytique de Gervaise Casavant :

- Hb : 116 g/L
- Ht : 35 %
- Érythrocytes : 4×10^{12}/L
- Na^+ : 133 mEq/L
- K^+ : 3,3 mEq/L
- Cl^- : 92 mmol/L
- Mg^{++} : 0,6 mmol/L ▶

À revoir

57 *Maladie inflammatoire chronique de l'intestin – Examens paracliniques*

7. Comment les résultats de l'hémogramme doivent-ils être interprétés ?

8. Que signifient les résultats du bilan électrolytique ?

9. Quel examen paraclinique confirmerait la présence de sang dans les selles ?

▶ Gervaise Casavant est traitée avec une pharmacothérapie *per os* comprenant de l'acide 5-aminosalicylique (Asacol^{MD}) et du budésonide (Entocort^{MD}). ▶

À revoir

57 *Maladie inflammatoire chronique de l'intestin – Pharmacothérapie*

10. À quoi servent ces deux médicaments dans le traitement de la maladie de Crohn de la cliente ?

▶ Comme autres particularités de son traitement, la cliente a été informée des recommandations suivantes : cesser de fumer, observer une diète sans résidus pendant les poussées diarrhéiques, éviter les aliments riches en gras et en grains entiers, ainsi que les aliments et les liquides froids. ▶

À revoir

Maladie inflammatoire chronique de l'intestin – Thérapie nutritionnelle

11. Justifiez chacune des recommandations que Gervaise Casavant doit observer.

Cesser de fumer :

Éviter les aliments riches en gras :

Éviter les aliments à grains entiers :

Éviter les aliments et les liquides froids :

▶ Au cours d'un épisode de diarrhée qui s'est prolongé pendant trois jours, la cliente a dû recevoir un traitement d'infliximab (Remicade^{MD}) I.V. à l'unité de médecine de jour. Elle a également remarqué qu'il semblait y avoir des selles mélangées au sang menstruel. ▶

À revoir

57 *Maladie inflammatoire chronique de l'intestin – Complications*

57 *Maladie inflammatoire chronique de l'intestin – Pharmacothérapie*

57 *Fistule anale*

12. Dans quel but Gervaise Casavant est-elle traitée avec infliximab (Remicade[MD]) I.V. pendant sa crise aiguë de diarrhée ?

13. Qu'est-ce qui cause la présence de selles dans le vagin ?

▶ Malheureusement, Gervaise Casavant a des épisodes récurrents de diarrhée pouvant atteindre jusqu'à 10 selles par jour. Elle pèse 65 kg, alors que son poids antérieur était de 72 kg. Elle est maintenant hospitalisée et traitée par une alimentation parentérale totale composée de Dextrose 10 % dans l'eau avec multivitamines, d'acides aminés et d'émulsion lipidique (Intralipid[MD]). Les solutions sont administrées à l'aide d'un cathéter central à trois voies par la veine sous-clavière gauche. La cliente est pesée tous les jours, et des glycémies capillaires sont faites q.i.d., même si elle n'est pas diabétique. ▶

À revoir

54 *Alimentation parentérale*

57 *Maladie inflammatoire chronique de l'intestin – Thérapie nutritionnelle*

14. En raison des nombreuses selles liquides, la cliente peut recourir à deux moyens pour assurer l'intégrité de la peau à la région périanale et réduire la douleur anale. Lesquels ?

15. À quoi sert l'alimentation parentérale totale dans le processus thérapeutique de Gervaise Casavant ?

16. Dans l'extrait du plan thérapeutique infirmier de Gervaise Casavant, inscrivez une directive infirmière pour assurer le suivi clinique de la cliente par rapport au traitement d'alimentation parentérale totale.

Extrait

CONSTATS DE L'ÉVALUATION								
Date	Heure	N°	Problème ou besoin prioritaire	Initiales	RÉSOLU / SATISFAIT			Professionnels / Services concernés
					Date	Heure	Initiales	
2011-05-04	*09:00*	*2*	*Alimentation parentérale totale*	*VS*				

SUIVI CLINIQUE							
Date	Heure	N°	Directive infirmière	Initiales	CESSÉE / RÉALISÉE		
					Date	Heure	Initiales
2011-05-04	*09:00*	*2*		↑ Vos initiales			

Signature de l'infirmière	Initiales	Programme / Service	Signature de l'infirmière	Initiales	Programme / Service
Viviane Sinclair	*VS*	*Gastroentérologie*			
↑ Votre signature	↑ Vos initiales	*Gastroentérologie*			

17. Puisque la cliente n'est pas diabétique, pourquoi vérifier le taux de sucre sanguin aussi souvent?

____

____

____

____

18. Pourquoi la cliente est-elle pesée chaque jour?

____

____

____

____

____

____

____

19. Nommez au moins quatre manifestations systémiques indicatrices d'une possible infection à surveiller chez Gervaise Casavant en raison de l'alimentation parentérale totale.

____

____

____

____

20. Citez deux signes et un symptôme d'infection locale à surveiller au site d'insertion du cathéter central à la veine sous-clavière gauche.

____

____

____

____

▶ Voici les derniers résultats de deux contrôles sanguins :

- Azote uréique : 25 mg/dl
- Dosage de la vitamine B_{12} : 140 pg/ml ▶

À revoir

Alimentation parentérale

57 *Maladie inflammatoire chronique de l'intestin – Thérapie nutritionnelle*

21. Gervaise Casavant devrait-elle recevoir une injection I.M. de vitamine B_{12} ? Justifiez votre réponse.

____
____
____
____
____

22. Devriez-vous aviser le médecin du résultat de l'azote uréique ? Justifiez votre décision.

____
____
____
____
____
____
____
____
____

▶ À 21 h, la glycémie de Gervaise Casavant est de 13,4 mmol/L. L'administration d'insuline est basée sur le protocole suivant :

Injection sous-cutanée d'insuline Humalog[MD] selon la glycémie capillaire avant les repas, et demi-dose au coucher.

Glycémie capillaire	Dose
< 10 mmol/L	0 unité
10,1 – 13 mmol/L	4 unités
13,1 – 16 mmol/L	6 unités
16,1 – 19 mmol/L	8 unités
> 19 mmol/L	10 unités

Référence : L'échelle d'insuline est tirée de l'article suivant : Pitre, M. (2001). *Échelles d'insuline et protocoles d'insulinothérapie. Le Médecin du Québec, 36* (12). ◀

23. Quelle dose d'insuline Humalog[MD] lui administrerez-vous ?

____

Situation de santé — Jugement **clinique**

Maladie pulmonaire obstructive chronique

Client : monsieur Anselmo Batista

www.cheneliere.ca/lewis

Chapitres à consulter

5 Maladies chroniques et personnes âgées

33 ÉVALUATION CLINIQUE
Système respiratoire

36 INTERVENTIONS CLINIQUES
Maladies pulmonaires obstructives

Monsieur Anselmo Batista, âgé de 73 ans, est atteint de maladie pulmonaire obstructive chronique (MPOC). Il est hospitalisé à la suite d'une surinfection bronchique et d'une exacerbation de sa maladie pulmonaire. Il dit qu'il éprouve souvent de la difficulté à respirer, particulièrement à l'expiration. Il reçoit actuellement de l'oxygène à 2 L/min par lunette nasale.
Il a commencé à fumer dès l'âge de 15 ans, mais il a arrêté il y a sept ans, non sans avoir tenté de le faire à plusieurs reprises auparavant. Il fumait alors jusqu'à deux paquets de cigarettes par jour. Dans son jeune âge, il a présenté des bronchites à plusieurs reprises. Maintenant retraité, il a travaillé comme boulanger pendant près de 60 ans. ▶

1. Outre le tabagisme, quels sont les trois facteurs qui ont contribué à l'apparition d'une MPOC chez monsieur Batista ?

2. De quelle façon l'âge de monsieur Batista a-t-il contribué à l'apparition d'une maladie respiratoire chronique ?

À revoir

33 *Considérations gérontologiques – Effets du vieillissement sur le système respiratoire*

33 *Évaluation du système respiratoire – Données subjectives – Évaluation de l'état respiratoire (PQRSTU)*

33 *Examens paracliniques de la fonction respiratoire*

33 *Modes fonctionnels de santé – Histoire de santé – Perception et gestion de la santé*

36 *Maladie pulmonaire obstructive chronique – Étiologie ; Physiopathologie*

3. Lorsque vous évaluez la dyspnée de monsieur Batista, quelles données pertinentes pouvez-vous obtenir par la méthode PQRSTU ?

P :

Q :

R :

S :

T :

U :

4. Quel phénomène physiopathologique explique la dyspnée de monsieur Batista ?

5. En nombre de paquets-année, quelle était la consommation de tabac de monsieur Batista ?

6. Le médecin a demandé qu'une culture des expectorations avec coloration Gram soit faite. Citez et justifiez cinq points que le client doit suivre pour fournir un échantillon de sécrétions valide.

▶ Monsieur Batista explique qu'il a de la difficulté à respirer à 3 sur 10 pour se rendre à la toilette et s'habiller. La dernière radiographie pulmonaire a montré une zone de condensation des sécrétions aux lobes inférieurs et au lobe médian droit. Lorsqu'il réussit à expectorer, ses sécrétions sont jaunâtres et épaisses. L'infirmière souhaite recueillir plus de données sur l'état respiratoire et elle applique les techniques d'examen physique. ▶

À revoir

33 *Modes fonctionnels de santé – Histoire de santé – Perception et gestion de la santé*

33 *Modes fonctionnels de santé – Histoire de santé – Activités et exercices*

33 *Évaluation du système respiratoire – Données objectives – Examen physique*

36 *Soins et traitements infirmiers – Client atteint de maladie pulmonaire obstructive chronique – Interventions cliniques - Promotion de la santé*

36 *Maladie pulmonaire obstructive chronique – Manifestations cliniques*

7. D'après l'échelle de Borg, à quoi correspond l'intensité de la dyspnée de monsieur Batista?

8. Afin d'aider monsieur Batista à mieux contrôler sa dyspnée, quel type de respiration devrait-il utiliser pendant qu'il fait un effort?

9. À quel moment de la journée le client est-il susceptible d'expectorer le plus? Justifiez votre réponse.

10. Pourquoi le client doit-il prendre l'habitude de regarder ses sécrétions lorsqu'il expectore?

11. Au cours de l'évaluation de l'amplitude des mouvements respiratoires, une expansion de 2 cm est observée. Qu'est-ce que cela signifie?

12. Quelle forme de thorax pourrait être observée chez monsieur Batista?

13. Quelles constatations peuvent être faites pendant l'observation de la respiration de monsieur Batista?

14. Quelle sera la caractéristique des murmures vésiculaires entendus à l'auscultation?

15. D'après les résultats de la radiographie pulmonaire, quels bruits surajoutés seront également entendus à l'auscultation?

▶ Monsieur Batista connaît la respiration avec les lèvres pincées et la respiration diaphragmatique, de même que les exercices de toux contrôlée. Il éprouve malgré tout de la dyspnée pendant un effort et il arrive difficilement à expectorer ses sécrétions. Après l'évaluation faite par l'inhalothérapeute à la suite des traitements respiratoires administrés, le client est moins dyspnéique et expectore davantage. ▶

À revoir

36 *Soins et traitements infirmiers – Client atteint de maladie pulmonaire obstructive chronique*

Voici un extrait du plan thérapeutique infirmier de monsieur Batista reflétant une partie de l'évaluation de son état respiratoire.

16. Pour chacun des problèmes prioritaires, écrivez une directive infirmière que monsieur Batista appliquerait pour diminuer sa dyspnée d'effort et faciliter l'expectoration de ses sécrétions.

17. Ajoutez les autres éléments pertinents dans l'extrait du PTI du client.

Extrait

CONSTATS DE L'ÉVALUATION

Date	Heure	N°	Problème ou besoin prioritaire	Initiales	RÉSOLU / SATISFAIT			Professionnels / Services concernés
					Date	Heure	Initiales	
2011-04-29		*2*	*Dyspnée modérée à l'effort*					
		3	*Difficulté à expectorer*	*SV*				

SUIVI CLINIQUE

Date	Heure	N°	Directive infirmière	Initiales	CESSÉE / RÉALISÉE		
					Date	Heure	Initiales
2011-04-29	*08:45*	*2*					
		3					

Vos initiales

Signature de l'infirmière	Initiales	Programme / Service	Signature de l'infirmière	Initiales	Programme / Service
Sandra Vermer	*SV*	*4e CD – pneumologie*			
		4e CD – pneumologie			

Votre signature

Vos initiales

▶ Dans les notes d'évolution du médecin, il est écrit que le client présente de l'hypoxémie et de l'hypercapnie. D'après les résultats des gaz sanguins artériels, il y aurait acidose respiratoire partiellement compensée. L'évaluation des volumes et des capacités pulmonaires montre une augmentation du volume résiduel. L'hémoglobine est à 200 g/L. ▶

À revoir

33 *Physiologie de la respiration – Gaz artériels sanguins*

36 *Plan de soins et de traitements infirmiers – Maladie pulmonaire obstructive chronique*

36 *Maladie pulmonaire obstructive chronique – Manifestations cliniques*

18. En vous référant aux valeurs normales des gaz sanguins artériels, expliquez ce que signifient les résultats ci-dessus pour monsieur Batista.

19. Qu'est-ce qui explique le résultat de l'hémoglobine?

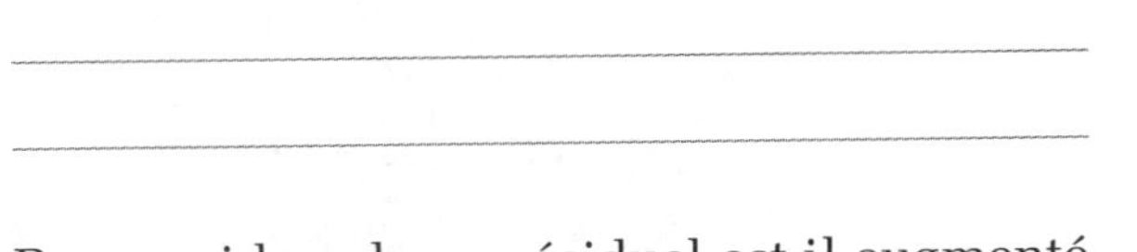

20. Pourquoi le volume résiduel est-il augmenté pour ce client?

▶ Monsieur Batista prend des inhalations de salbutamol (Ventolin[MD]) et d'ipratropium (Atrovent[MD]). Il utilise déjà un concentrateur d'oxygène à la maison, car il a besoin d'oxygène à 2 L/min en permanence. ▶

À revoir

36 *Maladie pulmonaire obstructive chronique – Processus thérapeutique en interdisciplinarité – Pharmacothérapie; Oxygénothérapie*

21. Pourquoi monsieur Batista a-t-il besoin de ces deux médicaments?

22. Quels sont les deux principaux buts de l'oxygénothérapie de longue durée pour monsieur Batista?

23. Monsieur Batista risque-t-il de présenter une dépendance à l'oxygène? Justifiez votre réponse.

▶ Monsieur Batista éprouve de la dyspnée pendant les repas. Il s'essouffle facilement lorsqu'il marche dans le corridor. Quand c'est possible, un membre du personnel l'accompagne pour marcher. ▶

À revoir

36 *Maladie pulmonaire obstructive chronique – Processus thérapeutique en interdisciplinarité – Thérapie nutritionnelle*

36 *Facteurs liés à l'activité*

24. Quelles suggestions peuvent être faites au client pour qu'il soit moins dyspnéique pendant les repas? Citez-en au moins trois.

25. Trouvez deux moyens à suggérer à monsieur Batista pour faciliter la marche.

26. Quel est l'avantage d'accompagner le client lorsqu'il marche?

27. À combien, sur l'échelle de Borg, devrait être la dyspnée de monsieur Batista après qu'il a marché?

▶ Monsieur Batista habite avec son fils et sa belle-fille. Même s'ils ne le visitent qu'irrégulièrement à l'hôpital, il devient plus dyspnéique en leur présence. Par ailleurs, le préposé aux bénéficiaires rapporte à l'infirmière qu'il a entendu le fils dire à son père, sur un ton agressif, que les traitements coûtaient cher et qu'il avait besoin d'argent pour arriver. Le client quittera l'hôpital dans deux jours. Il devra rester seul pendant la journée, puisque ses principaux proches travaillent. Il n'a pas d'activités sociales, et ses amis, également âgés, n'ont pas le droit de le visiter à la maison, son fils l'interdisant. ◀

À revoir

5 *Violence et maltraitance à l'endroit des personnes âgées*

5 *Soins et traitements infirmiers – Congé de l'hôpital*

28. D'après ces nouvelles données, quels sont les deux types de maltraitance dont monsieur Batista semble être victime?

____

____

29. Quel problème en rapport avec le retour de monsieur Batista à domicile auriez-vous raison de suspecter? Justifiez votre réponse.

____

____

____

____

____

____

30. Qu'est-ce que monsieur Batista risque de vivre une fois rendu chez lui? Justifiez votre réponse.

____

____

____

____

____

____

____

____

Situation de santé | Jugement clinique

Hyperthyroïdie

Cliente : madame Ina Vadeboncœur

www.cheneliere.ca/lewis

Chapitres à consulter

ÉVALUATION CLINIQUE
Système endocrinien

INTERVENTIONS CLINIQUES
Troubles endocriniens

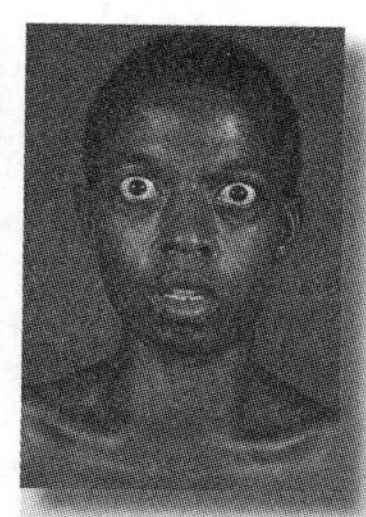

Madame Ina Vadeboncœur a 37 ans. Elle est atteinte de la maladie de Graves-Basedow, une forme d'hyperthyroïdie. Elle se présente au groupe de médecine familiale pour une visite de suivi et rencontre l'infirmière praticienne spécialisée en soins de première ligne. Cette dernière évalue l'état de santé actuel de la cliente par l'inspection, la palpation et l'auscultation. ▶

À revoir

59 *Anatomie et physiologie du système endocrinien – Glandes*

59 *Glande thyroïde*

59 *Examens paracliniques du système endocrinien*

61 *Hyperthyroïdie – Manifestations cliniques*

1. Quelle est la principale hormone impliquée dans le dysfonctionnement thyroïdien de madame Vadeboncœur?

____

2. Qu'est-ce que le dosage de cette hormone devrait indiquer comme résultat?

____

____

____

____

____

____

3. Madame Vadeboncœur a les yeux qui font saillie à l'extérieur de l'orbite oculaire. Quel terme médical désigne cette manifestation de l'hyperthyroïdie?

____

4. Nommez trois caractéristiques de la pulsation qui peuvent être remarquées chez madame Vadeboncœur.

____

____

____

____

____

____

5. L'infirmière vérifie la présence de signes intestinaux lorsqu'elle procède à l'évaluation de la situation de santé de la cliente. Citez-en au moins deux.

____

____

____

6. L'infirmière vérifie le poids de madame Vadeboncœur. Que devrait-elle constater au cours de cette vérification?

7. Quelle constatation pouvez-vous faire en regardant les doigts de madame Vadeboncœur?

8. Que pouvez-vous vérifier en procédant à la palpation de la glande thyroïde de la cliente?

9. Que devrait révéler l'auscultation de la glande thyroïde?

▶ Madame Vadeboncœur se plaint souvent de bouffées de chaleur et tolère mal les températures d'été. « Mes règles sont irrégulières. Je suis beaucoup trop jeune pour commencer ma ménopause », dit-elle, irritée, sur un ton impatient.

Voici quelques résultats des derniers contrôles sanguins :

TSH : 0,29 µU/ml

T_4 libre : 3,4 ng/dl

T_3 totale : 212 ng/dl

T_3 libre : 500 pg/dl

Madame Vadeboncœur prend les médicaments suivants : venlafaxine (Effexor[MD]) 75 mg die et métronidazole 0,75 % en crème (Flagyl[MD]) en application locale die. Elle a pris lévonorgestrel (Alesse[MD]), mais elle ne le prend plus depuis deux semaines. ▶

À revoir

61 *Hyperthyroïdie – Manifestations cliniques*

10. Est-ce que les manifestations rapportées par la cliente peuvent être associées à son hyperthyroïdie? Justifiez votre réponse.

11. D'après les résultats des analyses sanguines, qu'est-ce qui est caractéristique de l'hyperthyroïdie?

12. Parmi les médicaments que madame Vadeboncœur prend ou a pris, lequel contribue à l'augmentation des valeurs de T_3 et de T_4?

► Madame Vadeboncœur raconte à l'infirmière que son conjoint a dû la conduire à l'urgence parce qu'elle présentait de la tachycardie, une température à 40,3 °C, de même que des propos plutôt incohérents accompagnés d'agitation motrice et d'agressivité. ►

À revoir

61 *Hyperthyroïdie – Complications*

13. D'après ces données, quelle complication de l'hyperthyroïdie la cliente a-t-elle présentée?

14. Quelle question devrait être posée à la cliente et qui renseignerait sur la cause possible d'une telle complication?

► Madame Vadeboncœur prend propylthiouracile (PTU^{MD}) 100 mg t.i.d. L'endocrinologue lui propose un traitement à l'iode radioactif sur une base ambulatoire en consultation externe et lui explique qu'elle prendra également propranolol (Indéral^{MD}). La cliente demande à l'infirmière praticienne spécialisée la raison de la radiothérapie, puisqu'elle est traitée avec un antagoniste de l'hormone thyroïdienne, et si elle devra continuer à prendre propylthiouracile après ce traitement. ►

À revoir

61 *Médicaments antithyroïdiens; Radiothérapie à l'iode*

61 *Hypothyroïdie – Manifestations cliniques*

15. Comment agit le propylthiouracile (PTU^{MD})?

16. Quelle explication donnerez-vous à madame Vadeboncœur sur le mode d'action du traitement à l'iode radioactif?

17. Que faut-il vérifier auprès de la cliente avant que cette dernière commence la radiothérapie à l'iode?

18. La cliente devra-t-elle continuer à prendre le propylthiouracile? Justifiez votre réponse.

19. Pourquoi le médecin a-t-il prescrit le propranolol (Indéral^{MD}) à la cliente?

20. Comme le traitement à l'iode peut entraîner de l'hypothyroïdie, citez au moins trois manifestations que madame Vadeboncœur pourrait remarquer en lien avec l'hypothyroïdie.

▶ Madame Vadeboncœur a perdu 5 kg depuis un mois. Elle dit avoir moins d'appétit. ▶

À revoir

61 *Hyperthyroïdie – Recommandations nutritionnelles*

21. Quelle sera la particularité du régime alimentaire de madame Vadeboncœur ?

▶ Madame Vadeboncœur a dû subir une thyroïdectomie totale. Elle est revenue de la salle de réveil il y a trois heures. Sa voix est un peu enrouée. La surveillance standard après une thyroïdectomie totale est appliquée. ▶

À revoir

61 *Soins et traitements infirmiers – Client atteint d'hyperthyroïdie*

22. Dans quelle position la cliente doit-elle être installée en période postopératoire ? Justifiez votre réponse.

23. Est-ce normal que madame Vadeboncœur ait la voix enrouée ? Justifiez votre réponse.

24. Que peut faire la cliente pour réduire l'œdème des cordes vocales ?

25. D'après les données de ce dernier épisode, que devriez-vous inscrire dans l'extrait du plan thérapeutique infirmier de madame Vadeboncœur ?

Extrait

CONSTATS DE L'ÉVALUATION								
Date	Heure	N°	Problème ou besoin prioritaire	Initiales	RÉSOLU / SATISFAIT			Professionnels / Services concernés
					Date	Heure	Initiales	
2011-04-28	*13:45*	*2*						

Vos initiales

SUIVI CLINIQUE							
Date	Heure	N°	Directive infirmière	Initiales	CESSÉE / RÉALISÉE		
					Date	Heure	Initiales
2011-04-28	*13:45*	*2*					

Vos initiales

Signature de l'infirmière	Initiales	Programme / Service	Signature de l'infirmière	Initiales	Programme / Service
		Chirurgie			

Votre signature — Vos initiales

▶ La calcémie de madame Vadeboncœur est de 2,0 mmol/L. La cliente devra prendre lévothyroxine (Synthroid[MD]) et demande si ce sera pour longtemps. ◀

À revoir

61 *Soins et traitements infirmiers – Client atteint d'hyperthyroïdie – Interventions cliniques*

26. Deux signes sont à vérifier en raison du résultat de la calcémie. Lesquels ?

27. Qu'est-ce que madame Vadeboncœur doit savoir concernant la durée d'utilisation du médicament lévothyroxine (Synthroid[MD]) ?

Situation de santé — Jugement clinique

Polyarthrite rhumatoïde

Cliente : madame Rose-Anna Clavet

www.cheneliere.ca/lewis

Chapitres à consulter

5 Maladies chroniques et personnes âgées

24 EVALUATION CLINIQUE
Système musculosquelettique

27 INTERVENTIONS CLINIQUES
Arthrite et maladies des tissus conjonctifs

Madame Rose-Anna Clavet, 78 ans, souffre de polyarthrite rhumatoïde aux mains depuis au moins 15 ans. Elle habite seule dans une résidence pour personnes âgées autonomes où elle occupe un petit appartement de trois pièces. Elle tricote depuis sa jeunesse, activité qu'elle hésite à interrompre lorsqu'elle a de la douleur. ▶

À revoir

24 *Données objectives – Examen physique*

27 *Polyarthrite rhumatoïde – Manifestations cliniques*

1. À quel moment de la journée madame Clavet est-elle susceptible de présenter de la douleur articulaire aux mains ? Expliquez votre réponse.

____

____

____

2. En plus de la douleur, nommez trois autres données à recueillir au sujet des articulations des doigts de la cliente.

____

____

____

____

3. Quelle déformation articulaire serait observable aux mains de madame Clavet ?

____

4. Quelle répercussion les déformations aux mains peuvent-elles avoir sur l'autonomie de cette cliente ?

____

____

____

____

5. Madame Clavet risque-t-elle de présenter des contractures aux doigts ? Justifiez votre réponse.

____

____

____

____

____

6. Quel test sanguin a pu servir au diagnostic de la polyarthrite rhumatoïde ?

____

____

____

____

▸ Madame Clavet est allée dans un centre de prélèvement pour des tests sanguins, dont voici les résultats :

- vitesse de sédimentation : 42 mm/h ;
- anticorps antinucléaires : positif. ▸

À revoir

24 *Examens paracliniques du système musculosquelettique*

7. Que signifient ces résultats ?

▸ Madame Clavet fréquente un centre de jour deux fois par semaine. Un physiothérapeute lui a enseigné des exercices pour les doigts, et une ergothérapeute lui a fabriqué des orthèses qu'elle ne porte pas régulièrement, car elle préfère tricoter. ▸

À revoir

5 *Soins de jour pour adultes*

27 *Polyarthrite rhumatoïde – Processus thérapeutique en interdisciplinarité*

8. Quel est le but des exercices enseignés à la cliente par le physiothérapeute ?

9. Même si elle ne les porte pas régulièrement, à quoi servent les orthèses aux mains pour madame Clavet ?

▸ Pour traiter son problème articulaire, la cliente reçoit une injection S.C. d'étanercept (Enbrel[MD]) 25 mg à chaque visite au centre de jour, et du méthotrexate *per os*. Elle se fait vacciner contre la grippe chaque année. Un contrôle d'hémogramme est également fait. ▸

À revoir

27 *Pharmacothérapie – Arthrite et troubles des tissus conjonctifs*

27 *Plan de soins et de traitements infirmiers – Polyarthrite rhumatoïde*

27 *Polyarthrite rhumatoïde – Pharmacothérapie*

10. Pourquoi madame Clavet reçoit-elle des injections d'étanercept (Enbrel[MD]) deux fois par semaine plutôt qu'un traitement aux anti-inflammatoires non stéroïdiens (AINS) ?

11. Madame Clavet devrait-elle se faire vacciner contre la grippe ? Justifiez votre réponse.

12. Pourquoi est-ce important que la cliente ait un contrôle d'hémogramme?

▶ Madame Clavet ne sait pas si elle doit appliquer de la chaleur ou du froid pendant une crise aiguë de douleur. ▶

À revoir

27 *Soins et traitements infirmiers – Client atteint de polyarthrite rhumatoïde – Interventions cliniques – Phase aiguë*

27 *Plan de soins et de traitements infirmiers – Polyarthrite rhumatoïde*

27 *Application de chaleur et de froid et exercices physiques*

13. Quel type d'application peut soulager la cliente selon ce qui la gêne: raideur des articulations ou douleur?

- Pour la raideur articulaire:
- Pour la douleur aux articulations:

14. Pendant combien de temps madame Clavet devrait-elle appliquer de la chaleur ou du froid pendant une crise aiguë?

▶ Madame Clavet a remarqué qu'elle avait la bouche sèche et des picotements aux yeux. ◀

À revoir

27 *Polyarthrite rhumatoïde – Manifestations extra-articulaires*

Syndrome de Sjögren

15. À quelle pathologie font penser les manifestations décrites par madame Clavet?

16. En lien avec la réponse à la question précédente, citez quatre autres manifestations oculaires à vérifier auprès de la cliente.

17. Pour chacun des problèmes ci-dessous, suggérez un moyen que madame Clavet pourrait prendre pour le résoudre.

Xérostomie:

Sécheresse oculaire:

Situation de santé — Jugement **clinique**

Cancer colorectal

Client : monsieur Alain Ménard

 www.cheneliere.ca/lewis

Chapitres à consulter

- **4** Enseignement au client et à ses proches aidants
- **16** Cancer
- **53** ÉVALUATION CLINIQUE Système gastro-intestinal
- **57** INTERVENTIONS CLINIQUES Troubles du tractus gastro-intestinal inférieur

Monsieur Alain Ménard a 52 ans. Il travaille pour une agence de publicité très compétitive. Au cours d'une récente visite au groupe de médecine familiale de sa région, il a mentionné à l'infirmière praticienne spécialisée en soins de première ligne qu'il présentait des épisodes de diarrhée alternant avec de la constipation. Au moment de la consultation, il n'était pas allé à la selle depuis trois jours. ▶

À revoir

- **53** *Examen clinique du système gastro-intestinal – Données subjectives – Renseignements importants concernant l'évaluation d'un symptôme PQRSTU*
- **53** *Examen clinique du système gastro-intestinal – Histoire de santé*
- **53** *Examen clinique du système gastro-intestinal – Données objectives – Examen physique*

1. Pour procéder à l'évaluation initiale de l'état de santé de monsieur Ménard, l'infirmière pose des questions au client en s'inspirant des modes fonctionnels de santé. Pour chacun des aspects qui suivent, trouvez une question pertinente à poser en lien avec le problème qu'il mentionne.

Nutrition et métabolisme : ______________________

____

____

Élimination : ______________________

____

____

____

Sommeil et repos : ______________________

____

Adaptation et tolérance au stress : ______________________

____

____

____

____

____

2. Trouvez également une question pertinente à poser au client d'après les lettres suivantes correspondant à l'acronyme PQRSTU.

« P » pour pallier : ______________________

____

____

____

____

____

____

« T » pour durée :

« U » pour compréhension (*understanding*) :

3. Pour procéder à l'examen physique de monsieur Ménard, l'infirmière ausculte et palpe l'abdomen du client. Quelles données devraient être recueillies par les techniques suivantes ?

Auscultation :

Palpation profonde :

▶ Monsieur Ménard ajoute qu'il présente également des saignements rectaux plus ou moins importants. Son père est décédé d'un cancer de l'estomac ; son frère aîné, d'un cancer pulmonaire ; un oncle, d'un cancer de la gorge ; un autre oncle, d'un cancer de la prostate, et une tante, d'un cancer colorectal il y a huit mois. En raison des antécédents familiaux du client, le médecin juge approprié de lui faire passer une coloscopie, car il soupçonne un cancer colorectal au côté gauche. ▶

À revoir

53 *Examens paracliniques du système gastro-intestinal – Endoscopie*

57 *Cancer colorectal – Étiologie et physiopathologie*

57 *Cancer colorectal – Manifestations cliniques*

4. En plus des antécédents familiaux de cancer, quatre autres facteurs de risque de cancer colorectal sont à vérifier chez monsieur Ménard. Quels sont-ils ?

5. Outre le cancer colorectal, qu'est-ce qui peut être détecté chez ce client par la coloscopie ?

6. En plus des manifestations cliniques déjà connues d'un cancer colorectal pour ce client, citez-en deux autres.

▶ Les examens ont révélé la présence d'un cancer du sigmoïde et du rectum de grade III. Les ganglions inguinaux sont atteints. ▶

À revoir

16 *Classification du cancer – Classification histologique*

7. Que signifie le grade III pour le cancer diagnostiqué chez monsieur Ménard ?

▶ Monsieur Ménard a accepté de subir une résection abdominale périnéale avec colostomie permanente. La surveillance habituelle après une telle chirurgie est appliquée. Le client a un drain Hémovac[MD], mais même à la deuxième journée postopératoire, le pansement périnéal est saturé à 75 % d'exsudat sérosanguin (ce qui correspond à un écoulement abondant, d'après la légende utilisée localement pour quantifier un exsudat de plaie). Habituellement, le pansement opératoire est changé une fois par quart de travail. L'infirmière qui a déterminé le plan thérapeutique infirmier ajoute un problème prioritaire dans l'extrait présenté ci-après afin qu'un suivi spécifique soit assuré. ▶

À revoir

57 *Cancer colorectal – Processus thérapeutique en interdisciplinarité – Traitement chirurgical*

57 *Soins et traitements infirmiers – Client atteint de cancer colorectal - Soins postopératoires*

8. Dans le PTI, ci-dessous, émettez une directive infirmière afin qu'un suivi spécifique de l'importance de l'exsudat provenant de la plaie opératoire soit assuré.

Extrait

CONSTATS DE L'ÉVALUATION

Date	Heure	N°	Problème ou besoin prioritaire	Initiales	RÉSOLU / SATISFAIT			Professionnels / Services concernés
					Date	Heure	Initiales	
2011-03-17	*10:45*	*2*	*Exsudat de plaie opératoire abondant*	*LB*				

SUIVI CLINIQUE

Date	Heure	N°	Directive infirmière	Initiales	CESSÉE / RÉALISÉE		
					Date	Heure	Initiales
2011-03-17	*10:45*	*2*					

Vos initiales

Signature de l'infirmière	Initiales	Programme / Service	Signature de l'infirmière	Initiales	Programme / Service
Liette Beaucage	*LB*	*3e EST – Chirurgie*			
		3e EST – Chirurgie			

Votre signature

Vos initiales

9. Émettez une autre directive infirmière modifiant le moment de changement du pansement.

▶ La colostomie de monsieur Ménard est située au côté gauche de l'abdomen. Un léger écoulement sanguin provient de la stomie, qui est rosée par ailleurs. Même si le chirurgien l'a informé des particularités de l'opération et de la colostomie, le client pose plusieurs questions. ▶

À revoir

57 *Soins et traitements infirmiers – Client ayant une stomie – Soins postopératoires*

57 *Soins et traitements infirmiers – Client ayant une stomie – Soins d'une colostomie*

57 *Soins et traitements infirmiers – Client ayant une stomie – Thérapie nutritionnelle*

10. Est-ce normal que la stomie soit rosée avec un léger écoulement sanguin ? Justifiez votre réponse.

11. Quelle sera la consistance des selles de monsieur Ménard ?

12. Que répondre à monsieur Ménard lorsqu'il pose les questions suivantes : « Si j'ai des gaz, tout le monde s'en rendra compte. Qu'est-ce que je peux faire ? » « Et si de mauvaises odeurs s'échappent de la stomie ? » « Est-ce que ma conjointe aura encore de l'attirance sexuelle pour moi ? »

▶ L'infirmière lui enseigne les soins à apporter à la suite d'une colostomie pour qu'il soit en mesure de gérer efficacement cette nouvelle situation de santé. Le client exprime son aversion pour ce type de soins : « C'est dégoûtant. Je n'arriverai jamais à le faire correctement. Est-ce vraiment nécessaire ? » ▶

À revoir

4 *Processus de transmission des connaissances – Apprenant adulte*

4 *Styles d'apprentissage*

13. Pour que l'enseignement des soins de colostomie à monsieur Ménard soit efficace, l'infirmière doit considérer deux conditions essentielles. Lesquelles?

14. Sans connaître le style d'apprentissage de monsieur Ménard, quelle façon d'apprendre les soins de colostomie serait à privilégier?

▶ L'infirmière a inscrit le résultat escompté suivant dans le plan de soins et de traitements infirmiers de monsieur Ménard: *le client sera capable d'effectuer correctement tous ses soins de colostomie d'ici sa sortie de l'hôpital.* ▶

À revoir

57 *Plan de soins et de traitements infirmiers – Colostomie ou iléostomie*

15. Est-ce qu'un tel résultat escompté est acceptable? Justifiez votre réponse.

16. L'infirmière propose à monsieur Ménard d'enseigner les soins de colostomie à sa conjointe également. Que pensez-vous de cette proposition?

▶ Comme les ganglions inguinaux sont atteints, monsieur Ménard reçoit des traitements chimiothérapeutiques comprenant 5-fluorouracile (5-FU), cétuximab (Erbitux[MD]) et lévamisole en clinique d'oncologie. En plus d'avoir perdu ses cheveux, il se sent extrêmement fatigué, éprouve souvent des nausées et présente des éruptions cutanées de type acnéique. Il prend également ondansétron (Zofran[MD]) 4 mg *per os*. ◀

À revoir

16 *Soins et traitements infirmiers – Client traité par chimiothérapie et radiothérapie*

16 *Traitements biologiques et ciblés*

17. Suggérez trois choses que monsieur Ménard peut faire pour économiser son énergie et se sentir moins fatigué après ses traitements de chimiothérapie.

18. Quelles recommandations peuvent contribuer à diminuer les nausées causées par la chimiothérapie ? Citez-en trois.

19. Citez deux moyens que peut prendre monsieur Ménard pour prévenir l'apparition d'autres lésions cutanées et traiter celles déjà présentes.

Situation de santé — Jugement **clinique**

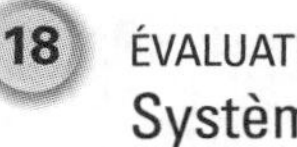

Traumatisme crânien

Client : Florent Pomerleau

www.cheneliere.ca/lewis

Chapitres à consulter

18 ÉVALUATION CLINIQUE
Système nerveux

19 INTERVENTIONS CLINIQUES
Troubles intracrâniens aigus

Florent Pomerleau, 22 ans, est hospitalisé à l'unité des soins intensifs à la suite d'une grave collision en voiture, survenue au début de la nuit dernière. Selon le rapport des policiers, l'accident aurait été causé par un excès de vitesse. Florent a une fracture à la base du crâne causant une otorrhée droite, une grave contusion du tronc cérébral et un hématome sous-dural aigu. Il est inconscient. Les solutés qu'il reçoit sont minutieusement contrôlés avec une pompe à perfusion. ▶

À revoir

19 *Types de traumatismes craniocérébraux*

19 *Traumatismes craniocérébraux – Processus thérapeutique en interdisciplinarité*

1. Puisque la fracture se situe à la base du crâne, quels sont les deux signes cliniques pouvant être observés sur le visage et la tête de Florent ?

2. Comment pouvez-vous déterminer si l'écoulement à l'oreille droite contient du liquide céphalorachidien (LCR) ?

3. Pourquoi le débit des perfusions que reçoit Florent doit-il être minutieusement contrôlé?

▶ Florent ouvre les yeux à la pression exercée à la base des ongles. Il montre de la décérébration et n'émet aucune réponse verbale lorsque l'infirmière lui parle. ▶

À revoir

18 *Données objectives – Examen physique*

19 *Soins et traitements infirmiers – Client atteint d'un traumatisme craniocérébral*

4. D'après ces données, quel score Florent obtient-il à l'échelle de Glasgow?

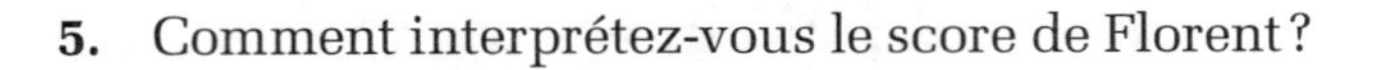

5. Comment interprétez-vous le score de Florent?

6. Quelle est la différence entre une réaction de décérébration et une réaction de décortication?

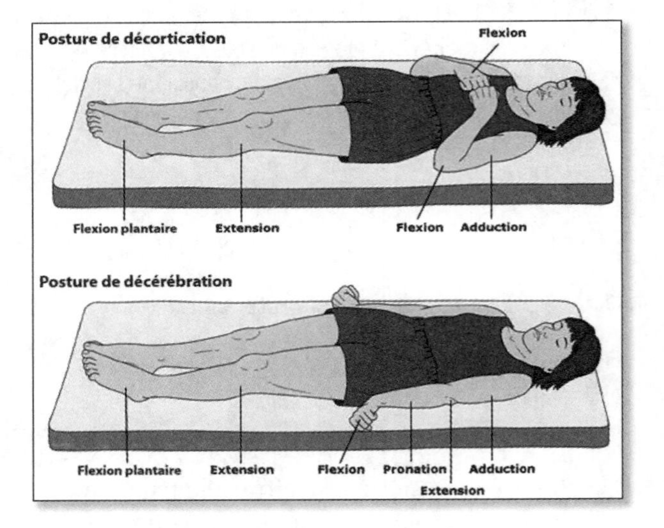

▶ Une canule oropharyngée a été mise en place pour faciliter la respiration et maintenir les voies respiratoires libres. La respiration du client est embarrassée, mais l'infirmière limite les aspirations au minimum. ▶

À revoir

19 *Soins et traitements infirmiers – Client atteint d'hypertension intracrânienne*

7. L'infirmière a-t-elle raison de limiter la fréquence et la durée des aspirations des sécrétions dans le cas de Florent ? Justifiez votre réponse.

▶ Les signes vitaux et neurologiques de Florent sont mesurés chaque heure. Voici les deux derniers résultats :

12:30		13:30	
S.V.	S.N.	S.V.	S.N.
P.A. 144/90	Pupilles 3 mm isocoriques	P.A. 152/84	Pupilles anisocoriques
P 58 bondissant	réaction lente à la lumière	P 56 bondissant	réaction lente à la lumière
R 14 irrégulière		R 10 irrégulière, superficielle	
T°R 37,8 °C		T°R 37,9 °C	
SpO_2 86 %		SpO_2 84 %	

L'osmolalité sérique est de 298 mOsm/kg H_2O. ▶

À revoir

19 *Hypertension intracrânienne – Manifestations cliniques*

19 *Soins et traitements infirmiers – Client atteint d'hypertension intracrânienne*

19 *Hypertension intracrânienne – Pharmacothérapie*

8. À la suite de l'analyse de ces données, quel problème prioritaire inscrirez-vous dans l'extrait du plan thérapeutique infirmier de Florent pour assurer le suivi clinique de son état actuel ?

9. Quelle conséquence la respiration de Florent peut-elle avoir sur les résultats des gaz sanguins artériels ?

10. Pour Florent, quelle position contribuerait à diminuer l'œdème cérébral et à assurer une perfusion cérébrale dans les limites normales ?

11. Florent pourrait-il recevoir du mannitol (Osmitrol[MD]) I.V. pour diminuer la PIC ? Justifiez votre réponse.

Extrait

CONSTATS DE L'ÉVALUATION								
Date	Heure	N°	Problème ou besoin prioritaire	Initiales	RÉSOLU/SATISFAIT			Professionnels/ Services concernés
					Date	Heure	Initiales	
2011-05-02	*13:30*	*2*						

Vos initiales

Signature de l'infirmière	Initiales	Programme / Service	Signature de l'infirmière	Initiales	Programme / Service
		Soins intensifs			

Votre signature

Vos initiales

▶ Florent a été placé sous ventilation mécanique. Voici les valeurs des gaz sanguins artériels :

pH : 7,30

PaO_2 : 90 mm Hg

$PaCO_2$: 50 mm Hg

HCO_3^- : 26 mEq/L

La température rectale de Florent est passée de 37,9 °C à 38,1 °C. ◀

À revoir

19 *Soins et traitements infirmiers – Client atteint d'hypertension intracrânienne – Interventions cliniques*

12. Que signifient les résultats des gaz sanguins artériels ?

____

____

____

13. Pourquoi est-ce important d'appliquer des interventions visant à maintenir la température de Florent dans des valeurs normales ?

____

____

____

____

____

____

____

____

____

Situation de santé — Jugement **clinique**

SA21

Leucémie myéloïde chronique

Client : monsieur Alexis Lazure

www.cheneliere.ca/lewis

Chapitres à consulter

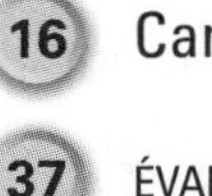

16 Cancer

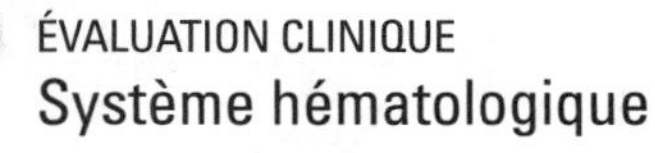

37 ÉVALUATION CLINIQUE
Système hématologique

38 INTERVENTIONS CLINIQUES
Troubles hématologiques

Monsieur Alexis Lazure a 39 ans. Il est atteint de leucémie myéloïde chronique, un diagnostic qu'il n'a jamais vraiment accepté depuis qu'il en a reçu la confirmation il y a deux ans. Il avait alors consulté un médecin d'une clinique sans rendez-vous à la suite d'une mauvaise chute lui ayant causé de nombreuses ecchymoses et de multiples contusions pendant une escalade en montagne. Les tests sanguins et une biopsie de la moelle osseuse ont confirmé le diagnostic.
Au début, il ne ressentait aucun symptôme. Il consulte cette fois-ci parce qu'il se sent très fatigué et faible. Il a remarqué qu'il transpirait beaucoup en certaines occasions, même sans faire d'efforts. Une infirmière praticienne spécialisée en soins de première ligne procède à l'évaluation clinique de monsieur Lazure avant que celui-ci voie le médecin. Une nouvelle biopsie de la moelle osseuse à l'épine iliaque antérosupérieure est demandée. ▶

À revoir

37 *Examen de la moelle osseuse*

38 *Cancers hématologiques – Leucémie – Classification*

38 *Cancers hématologiques – Leucémie – Manifestations cliniques*

1. Qu'est-il possible de découvrir en palpant l'abdomen de monsieur Lazure ?

2. Nommez quatre autres manifestations liées à la leucémie myéloïde chronique à rechercher chez monsieur Lazure.

3. Pendant la ponction de moelle osseuse, que peut ressentir le client au moment de l'aspiration de la moelle ?

4. Sans connaître les résultats de la formule sanguine complète, quelles sont les deux complications possibles à surveiller au site de ponction de moelle osseuse ?

▶ Le médecin a également demandé une biopsie des ganglions lymphatiques. ▶

À revoir

37 *Biopsie du ganglion lymphatique*

38 *Cancers hématologiques – Leucémie – Manifestations cliniques*

5. Dans quel but cette autre analyse est-elle demandée ?

6. Que serait-il possible de déceler en palpant les ganglions lymphatiques ?

▶ Les résultats de la dernière formule sanguine de monsieur Lazure sont les suivants :

- Hb : 118 g/L
- Ht : 30 %
- GB : 95 000/mm^3
- GR : 3,9 × 10^{12}/L
- Thrombocytes : 550 000 cellules/mm^3
- Lymphocytes : 16 000 cellules/mm^3
- Éosinophiles : 600 cellules/mm^3
- Neutrophiles : 8 000 cellules/mm^3
- Basophiles : 170 cellules/mm^3
- Monocytes : 800 cellules/mm^3 ▶

À revoir

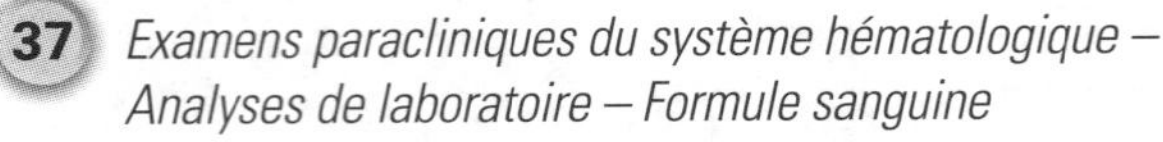

37 *Examens paracliniques du système hématologique – Analyses de laboratoire – Formule sanguine*

38 *Cancers hématologiques – Leucémie – Classification*

7. Commentez les valeurs de ces résultats en les comparant aux valeurs normales.

Résultats de monsieur Lazure	Valeurs normales
Érythrocytes	4,7 – 6,1 × 10^{12} / L chez ♂
Leucocytes	4 200 – 10 000 / mm^3
Hémoglobine	130 – 180 g / L chez ♂
Hématocrite	42 – 52 % chez ♂
Thrombocytes	150 000 – 400 000 cellules / mm^3
Lymphocytes	1 000 – 4 000 cellules / mm^3
Éosinophiles	< 450 cellules / mm^3
Neutrophiles	3 000 – 7 000 cellules / mm^3
Basophiles	15 – 100 cellules / mm^3
Monocytes N ou	< 850 cellules / mm^3

▶ Les traitements chimiothérapeutiques de monsieur Lazure comprennent imatinib (Gleevec[MD]) *per os* et rituximab (Rituxan[MD]) I.V. Ce dernier agent antinéoplasique lui est administré une fois par semaine à la clinique d'oncologie. ▶

À revoir

16 *Chimiothérapie – Effet sur les cellules ; Méthodes d'administration*

38 *Leucémie – Processus thérapeutique en interdisciplinarité*

8. En utilisant des mots simples, expliquez à monsieur Lazure comment agissent ces deux agents antinéoplasiques.

9. Pourquoi est-il important de vérifier le site d'insertion du cathéter I.V. q.30 min pendant l'administration du rituximab?

10. Vérifiez la bonne réponse à la question précédente et citez trois manifestations indicatrices d'une telle complication.

► Même si monsieur Lazure a reçu toute l'information sur la leucémie au moment du diagnostic, il vit parfois des moments de dépression. Il craint malgré tout de ne jamais être en rémission complète, issue qu'il souhaite ardemment. Actuellement, il dit se sentir beaucoup mieux et plus optimiste, puisque les résultats des tests sanguins sont redevenus normaux. La dernière biopsie de moelle osseuse indique la présence de myéloblastes. ◄

À revoir

38 *Leucémie – Processus thérapeutique en interdisciplinarité*

11. Qu'est-ce qui démontrerait que monsieur Lazure est en rémission complète de sa leucémie?

12. D'après l'analyse des derniers résultats d'examens paracliniques, le médecin doit-il conclure que monsieur Lazure est en rémission complète? Justifiez votre réponse.

Situation de santé — Jugement **clinique**

Anémie *(suite)*

Client : monsieur Alexis Lazure

www.cheneliere.ca/lewis

Chapitres à consulter

ÉVALUATION CLINIQUE
Système hématologique

INTERVENTIONS CLINIQUES
Troubles hématologiques

L'état de santé de monsieur Lazure s'est détérioré au point où le nombre d'érythrocytes est maintenant de $3,8 \times 10^{12}$/L, et l'hémoglobine, à 59 g/L. Il est pâle, ses conjonctives sont ictériques et il dit éprouver des démangeaisons au thorax et aux quatre membres. Il présente une anémie considérée comme grave. Il est actuellement à l'unité de médecine de jour pour y recevoir une transfusion de culot globulaire, et l'infirmière évalue l'état de santé du client dès son arrivée à l'unité. ▶

À revoir

38 *Anémie consécutive à une affection chronique*

38 *Anémie – Manifestations cliniques*

1. Pourquoi monsieur Lazure a-t-il…

La peau pâle ? ______________________

____

____

____

Les conjonctives ictériques ? ______________________

____

____

____

Du prurit ? ______________________

____

____

2. Pour chacun des systèmes ou organes ci-dessous, citez au moins deux signes ou symptômes à rechercher en lien avec l'anémie que monsieur Lazure présente, autres que ceux déjà connus.

Yeux : ______________________

Bouche : ______________________

Système respiratoire : ______________________

____

Système nerveux : ______________________

____

____

____

____

____

____

____

▶ Les valeurs des signes vitaux de monsieur Lazure avant l'administration de la transfusion sont les suivantes : P : 112 batt./min ; P.A. : 138/68 ; R : 28 ; T° : 36,6 °C ; SpO_2 : 87 %. Son groupe sanguin est B^+. ▶

À revoir

37 *Groupes sanguins et facteur Rh*

38 *Anémie – Manifestations cliniques*

38 *Thérapie transfusionnelle*

3. Parmi les valeurs des signes vitaux de monsieur Lazure, citez-en deux qui sont observables dans une anémie sévère.

4. Quel mécanisme physiopathologique explique les valeurs de la pulsation et de la respiration de monsieur Lazure?

5. En plus de l'épreuve de compatibilité croisée, quel test a permis de déterminer le facteur Rh de monsieur Lazure?

6. Monsieur Lazure pourrait recevoir du sang de deux groupes sanguins. Lesquels?

7. Dans le traitement de l'anémie de monsieur Lazure, à quoi sert précisément l'administration de culot globulaire?

8. Pourquoi les signes vitaux de monsieur Lazure doivent-ils être mesurés avant la transfusion?

▶ Quinze minutes après le début de la transfusion de culot globulaire, la température de monsieur Lazure est de 36,8 °C. ▶

À revoir

Réactions transfusionnelles

9. Par rapport à la température prise avant l'administration de la transfusion, la légère élévation actuelle constitue-t-elle une réaction transfusionnelle aiguë? Justifiez votre réponse.

▶ Au moment de son évaluation, monsieur Lazure a dit à l'infirmière qu'il éprouvait une grande fatigue. Il ajoute même qu'il arrive difficilement à faire sa toilette et à se raser. Il est en arrêt de travail depuis plusieurs mois, mais il n'arrive pas à récupérer ses forces. Se déplacer pour venir à l'unité de médecine de jour lui demande un grand effort. ▶

À revoir

38 *Soins et traitements infirmiers – Client atteint d'anémie*

10. Comment se fait-il que monsieur Lazure soit si fatigué?

11. En plus de faire des siestes, quelles suggestions pratiques pourriez-vous faire à monsieur Lazure pour qu'il soit moins fatigué? Trouvez-en deux et justifiez-les.

▶ L'infirmière s'est informée de l'alimentation de monsieur Lazure et a découvert qu'il mangeait peu de viande, surtout pas de foie, mais qu'il aimait le pain blanc et les légumes verts. ◀

À revoir

38 *Anémie ferriprive (tableau 38.3)*

12. Pour chaque groupe du Guide alimentaire canadien, donnez deux exemples d'aliments à recommander à monsieur Lazure pour favoriser l'érythropoïèse.

Viandes et substituts:

Produits laitiers:

Fruits et légumes:

Pains et céréales:

Situation de santé — Jugement clinique

Insuffisance rénale chronique

Cliente : madame Marie-Sœurette Firmin

 www.cheneliere.ca/lewis

Chapitres à consulter

67 ÉVALUATION CLINIQUE
Système urinaire

69 INTERVENTIONS CLINIQUES
Insuffisance rénale aiguë
et insuffisance rénale chronique

Madame Marie-Sœurette Firmin a 70 ans. Elle est diabétique de type 2 depuis l'âge de 41 ans et souffre d'une insuffisance rénale chronique (IRC) de stade 4. Elle pèse 92 kg et mesure 1 m 77.
La cliente se rend à l'hôpital trois fois par semaine pour recevoir des traitements d'hémodialyse. Une clairance de la créatinine a été faite dans le passé, mais l'urologue a demandé un nouveau contrôle en plus d'une créatinine sérique. ▶

À revoir

67 *Considérations gérontologiques*

67 *Examens paracliniques du système urinaire*

69 *Insuffisance rénale chronique*

69 *Insuffisance rénale chronique – Manifestations cliniques*

1. Pourquoi l'âge de madame Firmin constitue-t-il un facteur à considérer dans l'apparition de son insuffisance rénale chronique?

2. Quels sont les deux autres facteurs qui ont également contribué à l'apparition de l'insuffisance rénale chronique de madame Firmin?

3. Expliquez l'importance de la clairance de la créatinine dans l'évaluation de la fonction rénale de madame Firmin.

4. Quel résultat de la clairance de la créatinine faut-il s'attendre à observer chez madame Firmin?

5. Comment sera la valeur de la créatininémie de la cliente?

6. Énumérez les principaux points à réviser avec madame Firmin concernant la façon de procéder pour recueillir son urine des 24 heures pour l'examen de clairance de la créatinine.

▶ Au cours d'un traitement d'hémodialyse, madame Firmin mentionne à l'infirmière qu'elle se sent de plus en plus fatiguée, qu'elle s'endort constamment, qu'elle a des céphalées et des nausées, et que ses idées ne sont pas toujours claires. ▶

À revoir

69 *Insuffisance rénale chronique – Troubles métaboliques*

7. Qu'est-ce qui explique l'apparition des symptômes mentionnés par la cliente?

▶ Madame Firmin a eu un épisode d'ischémie cérébrale transitoire l'an dernier, ce qui a déséquilibré son diabète au point où elle est maintenant traitée à l'insuline Humulin[MD] 30/70. Cependant, l'endocrinologue a diminué les doses quotidiennes. L'insulinémie de la cliente est de 32 μUI/ml. ▶

À revoir

69 *Insuffisance rénale chronique – Troubles métaboliques ; Élévation des triglycérides*

8. Pourquoi les doses d'insuline de la cliente peuvent-elles être diminuées?

9. Quelle conséquence l'insulinémie de la cliente a-t-elle sur son taux de triglycérides ?

▶ Madame Firmin éprouve parfois des brûlures à l'estomac et des reflux acides dans l'œsophage. Elle prend Gelusil[MD] lorsque cela se présente, et Citro-Mag[MD] si elle est constipée, ce qui lui arrive régulièrement. Elle ne prend pas de sulfonate de polystyrène sodique (Kayexalate[MD]).

Voici les derniers résultats de quelques examens paracliniques :

- K^+ : 6,4 mEq/L
- Na^+ : 131 mEq/L
- Mg^{++} : 2,5 nmol/L
- Hb : 115 g/L
- GR : $4{,}0 \times 10^{12}$/L
- GB : 10 500/mm^3 ▶

À revoir

69 *Insuffisance rénale chronique – Déséquilibres électrolytique et acidobasique ; Système hématologique*

10. Du point de vue physiopathologique, comment s'expliquent les résultats ci-dessus ?

Kaliémie :

Natrémie :

Magnésémie :

Hémoglobine et érythrocytes :

Leucocytes :

11. Pour quelle raison le sulfonate de polystyrène sodique (Kayexalate[MD]) n'est-il pas indiqué pour madame Firmin?

▶ La pression artérielle moyenne de madame Firmin est de 164/92, et elle est traitée avec furosémide (Lasix[MD]) et énalapril (Vasotec[MD]). La clairance de la créatinine est de 51 ml/min, alors que la créatininémie est à 1,6 mg/dl. Le cholestérol total est à 6,9 mmol/L. ▶

À revoir

67 *Examens paracliniques du système urinaire*

69 *Insuffisance rénale chronique – Système cardiovasculaire*

12. D'après ces données, expliquez pourquoi madame Firmin est à risque de présenter des problèmes cardiovasculaires.

13. Deux autres facteurs rendent madame Firmin vulnérable aux complications vasculaires. Lesquels?

▶ Madame Firmin montre des signes de neuropathie périphérique: « J'ai des fourmis dans les jambes et j'ai l'impression que ça brûle. Je me réveille parfois la nuit avec des crampes aux mollets », dit-elle. ▶

À revoir

69 *Insuffisance rénale chronique – Système neurologique*

14. Citez trois autres signes de neuropathie périphérique à évaluer chez la cliente.

15. Qu'est-ce qui peut exacerber les manifestations de neuropathie périphérique de la cliente?

▶ La calcémie de la cliente est de 1,7 mmol/L. ▶

16. Qu'est-ce qui cause un tel résultat?

▶ La veille de son traitement d'hémodialyse, madame Firmin n'a uriné que 150 ml. La nutritionniste lui a expliqué les caractéristiques d'un régime protéinique normal et conseillé d'éviter de prendre des suppléments de protéines. ▶

À revoir

69 *Insuffisance rénale chronique – Processus thérapeutique en interdisciplinarité – Recommandations nutritionnelles*

17. Quelle quantité de liquide madame Firmin a-t-elle le droit de prendre aujourd'hui?

18. Quelle devrait être la quantité permise de protéines (en g/j) pour madame Firmin?

19. Pourquoi les suppléments de protéines sont-ils déconseillés dans le cas de cette cliente?

▶ Une fistule artérioveineuse a été installée au bras gauche de la cliente comme accès vasculaire pour ses traitements d'hémodialyse. Elle est actuellement à l'unité d'hémodialyse pour y recevoir son traitement. Avant de commencer, l'infirmière vérifie le poids de madame Firmin et mesure les signes vitaux q.30 – 60 min par la suite. Le traitement dure quatre heures. ▶

À revoir

69 *Hémodialyse – Types d'accès vasculaire*

69 *Hémodialyse – Technique d'hémodialyse*

20. Pourquoi l'infirmière pèse-t-elle la cliente avant de commencer le traitement?

21. À quoi servent les traitements d'hémodialyse?

22. Qu'est-ce qui justifie la fréquence de la mesure des signes vitaux?

23. Pour quelles raisons les ponctions veineuses et les prises de pression artérielle ne doivent-elles pas être faites au bras gauche de madame Firmin?

▶ Deux heures après le début du traitement, la pression artérielle de madame Firmin est de 120/70. ▶

À revoir

 *Hémodialyse – Complications de l'hémodialyse*

24. Que pensez-vous de la valeur de cette pression artérielle? Justifiez votre réponse.

▶ Madame Firmin se sent de plus en plus fatiguée en raison des déplacements pour ses traitements d'hémodialyse. Elle ne peut se faire à l'idée que sa vie sera ponctuée par une telle obligation : « Je sais que c'est pour mon bien, mais tout le monde autour de moi subit cette situation. Je devrais peut-être arrêter les traitements ou les recevoir par dialyse péritonéale. » ◀

À revoir

 *Dialyse péritonéale*

69 *Soins et traitements infirmiers – Client atteint d'insuffisance rénale chronique – Soins ambulatoires et soins à domicile*

69 *Transplantation rénale*

25. Quels avantages madame Firmin retirerait-elle de la dialyse péritonéale par rapport à l'hémodialyse?

26. Ce type de traitement serait-il envisageable pour madame Firmin? Justifiez votre réponse.

27. Que pensez-vous de l'intention de la cliente d'arrêter les traitements d'hémodialyse ?

28. Selon vous, madame Firmin pourrait-elle envisager une transplantation rénale ? Justifiez votre réponse.

Situation de santé — Jugement **clinique**

Diabète de type 1

Cliente : madame Blandine Lamontagne

www.cheneliere.ca/lewis

Chapitres à consulter

59 ÉVALUATION CLINIQUE
Système endocrinien

60 INTERVENTIONS CLINIQUES
Diabète

Madame Blandine Lamontagne, 52 ans, est diabétique de type 1 depuis l'âge de 17 ans. À l'époque, ses parents avaient consulté un médecin parce que leur fille, qui n'était pas particulièrement active, perdait du poids malgré un appétit vorace. Elle ressentait également de la fatigue. ▶

À revoir

- 59 *Examens paracliniques du système endocrinien*
- 60 *Diabète – Étiologie et physiopathologie*
- 60 *Manifestations cliniques – Diabète de type 1*
- 60 *Examen clinique et examens paracliniques*

1. Qu'est-ce qui explique la perte de poids chez madame Lamontagne ?

---

2. Quels autres symptômes classiques du diabète la cliente devait-elle sûrement présenter au moment où le diagnostic a été confirmé ?

---

3. Pourquoi la cliente ressentait-elle de la fatigue avant que le diagnostic de diabète soit établi ?

---

4. Quels tests ont servi à diagnostiquer le diabète de madame Lamontagne ?

▶ Madame Lamontagne s'injecte de l'insuline Humalog[MD] a.c. et h.s. Elle se pique sur l'abdomen et les cuisses, des sites faciles d'accès pour elle.

Elle vérifie sa glycémie capillaire à la même fréquence et aux mêmes moments. Habituellement, ses glycémies varient entre 5,4 et 7 mmol/L, avec une moyenne de 6,2 mmol/L. ▶

À revoir

60 *Administration de l'insuline*

60 *Types d'insulines*

60 *Traitement pharmacologique : insuline*

60 *Traitements par insuline*

60 *Entreposage de l'insuline*

5. Pourquoi madame Lamontagne ne peut-elle prendre son insuline par la bouche ?

6. Si madame Lamontagne ne mange pas ou ne prend pas de collation, à quel moment risque-t-elle de présenter de l'hypoglycémie ?

7. À quels autres endroits la cliente pourrait-elle s'injecter son insuline ?

8. Que pensez-vous des valeurs de glycémie de la cliente ?

9. Quels points devriez-vous vérifier auprès de madame Lamontagne concernant les précautions qu'elle prend pour la conservation des fioles d'insuline ? Nommez-en trois.

▶ Lorsque madame Lamontagne présente de l'hypoglycémie (valeur inférieure à 4 mmol/L), elle a des tremblements, des bouffées de chaleur, une peau moite et froide accompagnée de diaphorèse, ainsi qu'une sensation de nervosité intérieure. Elle prend alors une source de glucides simples pour ramener sa glycémie à la normale.
La cliente prend un verre de vin à l'occasion, notamment lors de rencontres entre amies. Elle pratique la danse aérobique pendant une heure, deux fois par semaine, après le petit déjeuner. Pour éviter qu'un tel exercice n'entraîne de l'hypoglycémie, elle boit jusqu'à 250 ml d'eau gazeuse sucrée pendant son activité. ▶

À revoir

59 *Anatomie et physiologie du système endocrinien – Hormones – Classification et fonctions*

60 *Acidocétose diabétique – Étiologie et physiopathologie*

60 *Hypoglycémie*

60 *Exercice*

10. Outre la valeur de la glycémie, citez au moins six autres signes et symptômes d'hypoglycémie que la cliente pourrait présenter.

11. Donnez trois exemples précis de sources de glucides simples que la cliente peut prendre pour corriger un épisode d'hypoglycémie.

12. Nommez deux causes possibles de l'hypoglycémie de madame Lamontagne.

13. Madame Lamontagne pourrait-elle recevoir du glucagon pour contrer un épisode d'hypoglycémie ? Justifiez votre réponse.

14. En plus de la danse aérobique, quel autre exercice peut contribuer à abaisser la glycémie de madame Lamontagne?

15. Est-il bon pour madame Lamontagne de faire de la danse aérobique après le petit déjeuner? Justifiez votre réponse.

16. Quelles valeurs de la glycémie constitueraient un empêchement pour la cliente de faire son activité aérobique?

▶ Madame Lamontagne s'est administré plus d'insuline que d'habitude en soirée (6 unités au lieu de 4 unités), et elle n'avait mangé que deux craquelins tartinés d'un peu de fromage cottage. Au réveil, le lendemain matin, elle ressentait une forte céphalée, et elle se souvient d'avoir éprouvé des bouffées de chaleur pendant la nuit. ▶

À revoir

Phénomène de l'aube et effet Somogyi

17. Qu'est-ce qui peut expliquer les symptômes que la cliente a ressentis pendant la nuit et au réveil?

▶ En plus de l'insuline, madame Lamontagne prend les médicaments suivants: ramipril (Altace[MD]) 5 mg die, vitamine D 400 unités die le matin, acide acétylsalicylique (Pro-AAS[MD]) 80 mg die, alendronate (Fosamax[MD]) 70 mg chaque lundi et quinine (Novo-Quinine[MD]) 200 mg h.s.
La cliente se plaint de crampes musculaires dans les jambes, surtout la nuit. Elle présente de l'ostéopénie et de la microalbuminurie. ▶

À revoir

60 *Autres médicaments pouvant modifier la glycémie*

18. Lequel des médicaments pris par madame Lamontagne pourrait avoir une influence sur la glycémie ?

19. Trouvez la raison pour laquelle madame Lamontagne prend chacun des médicaments énumérés ci-dessous.

Ramipril (Altace[MD]) :

Vitamine D :

Acide acétylsalicylique (Pro-AAS[MD]) :

Alendronate (Fosamax[MD]) :

Quinine (Novo-Quinine[MD]) :

▶ Madame Lamontagne suit les recommandations alimentaires à la lettre. La quantité de glucides à prendre est de 180 g/j à raison d'environ 60 g par repas.
Un repas du soir typique se compose habituellement de pâtes, de poisson ou de poulet grillé, de légumes ou de jus de tomate, de yogourt ou d'un fruit.
Pour son endocrinologue, l'objectif de glycémie visé est de 6 mmol/L, un objectif que la cliente accepte d'atteindre. ◀

À revoir

60 *Recommandations nutritionnelles*

20. Parmi les aliments composant un repas typique pour madame Lamontagne, lesquels permettent d'atteindre la quantité recommandée de glucides (environ 60 g) ?

Situation de santé — Jugement **clinique**

Complications du diabète *(suite)*

Cliente : madame Blandine Lamontagne

www.cheneliere.ca/lewis

Chapitres à consulter

59 ÉVALUATION CLINIQUE
Système endocrinien

60 INTERVENTIONS CLINIQUES
Diabète

Au cours d'une visite chez l'endocrinologue, celui-ci a remarqué que madame Lamontagne montrait des signes de déshydratation touchant notamment la peau et les muqueuses buccales, et de la tachycardie. La cliente l'informe qu'elle croit avoir fait une chute de pression en se levant du lit ce matin. Elle ajoute qu'elle est presque certaine de présenter actuellement des signes et des symptômes d'infection urinaire. Elle a d'ailleurs souffert de ce problème à sept reprises dans le passé, la dernière infection ayant été diagnostiquée il y a six mois. La cliente redoute toujours une telle situation, car sa glycémie s'en trouve déséquilibrée, celle de 11 h étant à 18 mmol/L. « Pourtant, je fais attention pour que ça n'arrive pas », dit-elle. ▶

À revoir

59 *Examens paracliniques du système endocrinien*

60 *Acidocétose diabétique*

60 *Complications aiguës du diabète*

1. En plus des manifestations de l'acidocétose diabétique mentionnées dans la mise en contexte, nommez celles qui montrent une modification de la respiration et de l'haleine.

2. Serait-ce pertinent de vérifier la présence d'acétone dans l'urine de madame Lamontagne ? Justifiez votre réponse.

3. Outre les infections urinaires, qu'est-ce qui aurait pu causer un déséquilibre de la glycémie de madame Lamontagne ?

4. Que peut-il se produire en lien avec le pH sanguin lorsque la cliente montre des signes d'acidocétose ?

▶ Madame Lamontagne fait vérifier son hémoglobine glyquée (HbA1c) tous les trois mois. La dernière valeur est de 7,2 %, avec une moyenne de 7,4 %. La glycosurie est positive. ▶

À revoir

59 *Examens paracliniques du système endocrinien*

60 *Examen clinique et examens paracliniques*

5. Que pensez-vous des résultats de l'hémoglobine glyquée (HbA1c) de madame Lamontagne?

6. Pourquoi est-ce important pour madame Lamontagne de maintenir un taux d'HbA1c près de la valeur recommandée?

7. Que signifie le résultat de la glycosurie de la cliente?

▶ En raison de la difficulté à stabiliser son taux de glycémie à 6 mmol/L (revoir la situation 24), madame Lamontagne porte une pompe à insuline depuis trois ans. Le rythme basal est le suivant:

- entre minuit et 3 h: 0,7 unité
- entre 3 h et 7 h: 0,65 unité
- entre 7 h et midi: 0,85 unité
- entre midi et 17 h: 0,6 unité
- entre 17 h et 20 h: 0,85 unité
- entre 20 h et minuit: 0,85 unité ▶

À revoir

60 *Administration de l'insuline – Autres modes d'administration*

8. Expliquez au moins deux avantages pour madame Lamontagne de recevoir son insuline par ce mode d'administration.

9. Quel type d'insuline doit être utilisé lorsque l'administration se fait à l'aide d'une pompe?

10. Selon le rythme basal de madame Lamontagne, pourquoi les doses sont-elles légèrement plus élevées entre 7 h et midi, entre 17 h et 20 h, et entre 20 h et minuit?

► Madame Lamontagne commence à ressentir des engourdissements aux orteils. Malgré des soins attentifs à ses pieds, elle a découvert une éraflure au talon gauche: «Je ne me souviens pas de m'être blessée aux pieds», dit-elle à l'infirmière de la clinique d'endocrinologie. ►

À revoir

60 *Exercice – Enseignement au client et à ses proches*

60 *Complications chroniques du diabète – Neuropathie*

11. Quel type de neuropathie la cliente semble-t-elle présenter?

12. Quels autres signes de neuropathie madame Lamontagne pourrait-elle présenter? Nommez-en deux.

13. À plus long terme, que risque-t-il d'arriver à la cliente en lien avec la sensation d'engourdissement aux orteils?

14. Pour cette cliente, qu'est-ce qui peut contribuer le plus à retarder l'évolution de la neuropathie?

15. Citez trois précautions que la cliente doit prendre pour éviter des blessures aux pieds.

16. Nommez et justifiez au moins cinq points à réviser avec madame Lamontagne concernant les soins d'hygiène à apporter à ses pieds.

17. Considérant le début de neuropathie sensorielle et l'éraflure au talon gauche, à quel risque majeur la cliente est-elle exposée si une détérioration marquée se produit?

▶ Madame Lamontagne consulte son optométriste chaque année. Elle fait également vérifier sa créatininémie. ◀

À revoir

60 *Complications chroniques du diabète – Néphropathie*

60 *Complications chroniques du diabète – Rétinopathie diabétique*

18. Quel symptôme pourrait laisser croire que madame Lamontagne est atteinte de rétinopathie?

19. Si la cliente est atteinte de rétinopathie, qu'est-ce que l'optométriste découvrira à l'examen du fond d'œil?

20. Pourquoi la créatininémie est-elle vérifiée ?

Situation de santé — Jugement **clinique**

Insuffisance rénale aiguë

Cliente : madame Marie-Michèle Vandette

www.cheneliere.ca/lewis

Chapitre à consulter

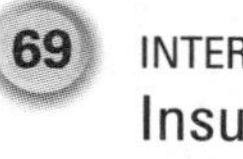

INTERVENTIONS CLINIQUES
Insuffisance rénale aiguë
et insuffisance rénale chronique

Madame Marie-Michèle Vandette est âgée de 54 ans. Elle présente de l'insuffisance rénale aiguë (IRA) à la suite de glomérulonéphrites à répétition depuis deux ans.

1. Quelle manifestation urinaire faut-il suspecter au moment de l'évaluation de madame Vandette ?

2. Les gaz sanguins artériels de madame Vandette montrent les résultats suivants : pH : 7,35 ; PaO_2 : 77 mm Hg ; $PaCO_2$: 33 mm Hg ; HCO_3^- : 20 mEq/L. Que signifient ces résultats ?

3. La kaliémie de madame Vandette est de 5,4 mEq/L. La cliente doit prendre du sulfonate de polystyrène sodique (Kayexalate^{MD}) 15 g *per os* die. À quoi sert ce médicament ?

4. Nommez deux autres examens paracliniques à vérifier chez madame Vandette en lien avec l'insuffisance rénale aiguë.

5. Citez quatre interventions à appliquer pour assurer un suivi clinique adéquat de l'état de santé actuel de madame Vandette en rapport avec son insuffisance rénale aiguë, et justifiez-les.

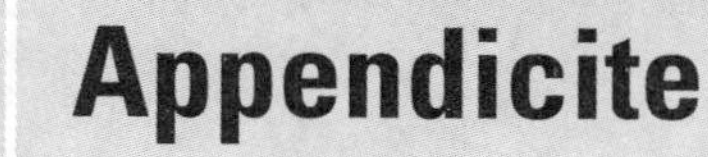
Situation de santé — Jugement **clinique**

RE02

Appendicite

Client : Mathias Malenfant

www.cheneliere.ca/lewis

Chapitre à consulter

57 INTERVENTIONS CLINIQUES
Troubles du tractus gastro-intestinal inférieur

Mathias Malenfant, 19 ans, est à l'urgence. Il éprouve une douleur intense au quadrant inférieur droit, mais il n'est pas nauséeux et n'a pas vomi. Cependant, il dit ne pas avoir eu de selles depuis deux jours, ce qui est inhabituel pour lui, mais il n'a pas voulu prendre de laxatif. L'infirmière au triage a procédé à l'évaluation du client et a reconnu des signes d'appendicite aiguë. Le signe de Rovsing est positif.

1. Comment l'infirmière a-t-elle reconnu que le signe de Rovsing était positif chez Mathias ?

2. Pourquoi Mathias a-t-il bien fait de ne pas prendre de laxatif ?

3. L'infirmière demande à Mathias s'il a utilisé un sac d'eau chaude pour soulager sa douleur. Expliquez pourquoi cette question est pertinente dans ce cas-ci.

4. Mathias a subi une appendicectomie. Au retour de sa chirurgie, il se plaint de douleur à 3 sur 10. Quel élément d'évaluation postopératoire de la douleur permettrait d'éliminer la possibilité d'une péritonite ?

Situation de santé — Jugement **clinique**

Hémophilie

Client : Dany Lacombe

www.cheneliere.ca/lewis

Chapitre à consulter

INTERVENTIONS CLINIQUES
Troubles hématologiques

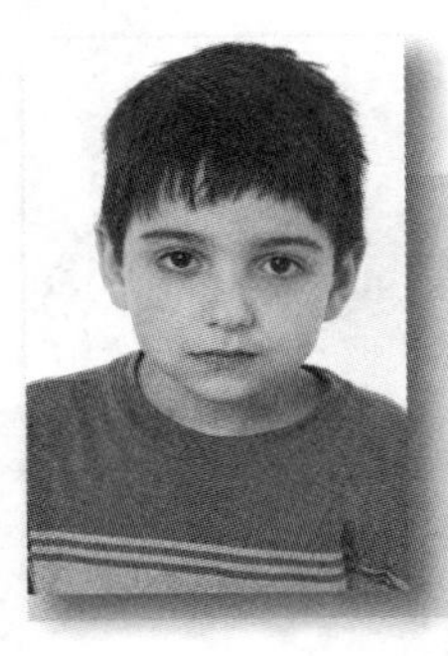

Le petit Dany Lacombe, 6 ans, est hémophile de type A. En courant sur le trottoir, il est tombé et s'est infligé des éraflures aux genoux et aux mains, en plus d'une épistaxis. Il est à l'urgence avec ses parents.

1. Nommez deux autres types de saignement que Dany peut présenter à la suite de sa chute.

2. Que faut-il faire pour contrôler…

le saignement des éraflures ?

l'epistaxis ?

3. Mentionnez deux précautions à aborder au moment de l'enseignement à Dany et à ses parents pour prévenir les saignements, et justifiez-les.

4. Le temps de saignement de Dany est de six minutes. Est-ce normal ? Justifiez votre réponse.

Situation de santé

Jugement **clinique**

Angine de poitrine

Cliente : madame Alice Letendre

www.cheneliere.ca/lewis

Chapitre à consulter

INTERVENTIONS CLINIQUES
Coronaropathie et syndrome coronarien aigu

Madame Alice Letendre, 64 ans, souffre d'angine chronique. Elle présente parfois de la douleur rétrosternale (DRS) et prend alors des pulvérisations sublinguales de nitroglycérine (Nitrolingual[MD]).

1. À quels autres endroits madame Letendre peut-elle ressentir de la douleur thoracique ?

2. Quel effet secondaire principal madame Letendre peut-elle éprouver à la suite de l'utilisation d'un dérivé nitré comme la nitroglycérine (Nitrolingual[MD]) ?

3. Énumérez tous les points à vérifier auprès de madame Letendre pour s'assurer qu'elle utilise correctement la nitroglycérine.

4. Madame Letendre a subi une coronarographie qui a mis en évidence un blocage à 80 % de l'artère coronaire gauche et un autre à 50 % du tronc commun. Elle a accepté qu'une angioplastie transluminale percutanée avec installation d'endoprothèse soit faite. La cliente prendra clopidogrel (Plavix[MD]) *per os*. Pour quelle raison un tel médicament est-il nécessaire ?

Situation de santé

Jugement **clinique**

Mélanome cutané

Cliente : madame Marie-Joëlle Buisson

www.cheneliere.ca/lewis

Chapitre à consulter

31 INTERVENTIONS CLINIQUES
Troubles tégumentaires

Madame Marie-Joëlle Buisson, 35 ans, adore prendre des bains de soleil. « Une belle peau bronzée, ça montre qu'on est en santé », se plaît-elle à dire. Récemment, elle a constaté que son grain de beauté à l'omoplate gauche était plus foncé et qu'il était plus étendu. Inquiète d'avoir un cancer de la peau, elle rencontre une infirmière praticienne spécialisée en soins de première ligne au groupe de médecine familiale.

1. Nommez les cinq points à vérifier au moment de l'évaluation de l'état de santé de madame Buisson par rapport aux changements observés à son grain de beauté.

2. Quel facteur de risque a prédisposé madame Buisson au cancer de la peau ?

Situation de santé — Jugement **clinique**

Ulcère peptique

Client : monsieur Dan Rodgers

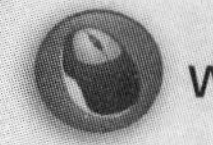

www.cheneliere.ca/lewis

Chapitre à consulter

56 INTERVENTIONS CLINIQUES
Troubles du tractus gastro-intestinal supérieur

Monsieur Dan Rodgers, 58 ans, prend plusieurs médicaments : warfarine (Coumadin[MD]) pour fibrillation auriculaire, chlorhydrate de fluoxétine (Prozac[MD]) pour dépression à la suite de son divorce, ibuprofène (Motrin[MD]) pour douleur au genou droit et chlorhydrate de labétalol (Apo-Labetalol[MD]) pour hypertension artérielle. Il fume environ 20 cigarettes par jour. Il se plaint de brûlures d'estomac et doit subir une gastroscopie pour vérifier la présence d'un ulcère gastrique. Il souffre déjà de reflux gastro-œsophagien. ▶

1. Parmi les médicaments que prend monsieur Rodgers, lesquels ont un potentiel ulcérogène ?

2. Outre les données de la courte mise en contexte, citez deux autres données à recueillir au moment de l'évaluation des habitudes de vie de monsieur Rodgers pouvant être en cause dans l'apparition d'un ulcère gastrique.

3. Dans quelle région de l'abdomen les brûlures ressenties par monsieur Rodgers devraient-elles être localisées ?

▶ La gastroscopie a confirmé la présence d'un ulcère près de l'antre pylorique. Trente minutes après avoir subi la gastroscopie, monsieur Rodgers demande à boire. ▶

4. Satisferiez-vous sa demande de boire ? Justifiez votre réponse.

5. Quels sont les deux facteurs présents chez monsieur Rodgers qui peuvent ralentir la cicatrisation de son ulcère gastrique ?

▶ Monsieur Rodgers est traité médicalement pour son ulcère gastrique. Il prend maintenant sucralfate (Sulcrate^MD) et il demande s'il peut prendre un antiacide vendu sans ordonnance. ▶

6. Pourquoi le sucralfate (Sulcrate^MD) représente-t-il un bon choix pour monsieur Rodgers ?

7. Quel antiacide monsieur Rodgers pourrait-il prendre ? Justifiez votre suggestion.

▶ Monsieur Rodgers a été amené à l'urgence parce qu'il a présenté une douleur abdominale diffuse soudaine et intense. Une perforation de l'ulcère gastrique est à craindre. ◀

8. En lien avec l'hypothèse d'ulcère perforé, nommez cinq données à vérifier lorsque l'infirmière au triage procède à l'évaluation initiale de monsieur Rodgers.

9. L'infirmière au triage demande à ce que le client soit gardé N.P.O. jusqu'à nouvel ordre. Pourquoi ?

Situation de santé

Jugement **clinique**

RE07

Asthme

Cliente : Lorie-Ann Verner

www.cheneliere.ca/lewis

Chapitre à consulter

36 INTERVENTIONS CLINIQUES
Maladies pulmonaires obstructives

Lorie-Ann Verner a 22 ans. Elle est étudiante en physiothérapie et travaille comme vendeuse toutes les fins de semaine. Elle n'a aucun problème de santé, mis à part le fait qu'elle est asthmatique. Même si elle adore la danse aérobique, elle doit parfois interrompre cette activité parce que cela déclenche occasionnellement des crises d'asthme. Elle n'a pas d'allergies connues et ne prend aucun autre médicament que ceux utilisés pour traiter ses crises. ▶

1. En plus de ceux mentionnés dans cette mise en contexte, citez trois facteurs qui pourraient déclencher une crise d'asthme chez Lorie-Ann.

▶ Lorie-Ann explique que sa respiration est sifflante lors d'une crise d'asthme. Elle a même constaté que son expiration était quatre fois plus longue que l'inspiration. ▶

2. Nommez trois autres manifestations que Lorie-Ann pourrait présenter au cours d'une crise d'asthme aiguë.

3. Quel phénomène physiopathologique explique le rapport inspiration / expiration de 1 : 4 ?

4. Quelle modification de la fréquence respiratoire est observée pendant une crise d'asthme?

▶ L'asthme dont Lorie-Ann est affligée est classifié d'asthme d'effort léger. Elle prend fluticasone (Flovent^MD) et salbutamol (Ventolin^MD). Elle tousse beaucoup pendant les crises et, lorsque la crise est passée, elle expectore du mucus. ◀

5. Qu'est-ce qui peut exacerber l'asthme de Lorie-Ann?

6. Quel médicament Lorie-Ann doit-elle prendre en premier au moment d'une crise d'asthme aiguë? Expliquez votre réponse.

7. Que peut faire Lorie-Ann pour éviter que son activité de danse déclenche une crise d'asthme aiguë?

8. Quelles seront les caractéristiques des expectorations de Lorie-Ann après une crise d'asthme?

9. Comment agit le fluticasone (Flovent^MD) dans le traitement de l'asthme de Lorie-Ann?

10. Comment Lorie-Ann pourrait-elle éviter les effets secondaires locaux dus à l'utilisation du fluticasone (Flovent^MD)?

Situation de santé

Jugement **clinique**

Cholélithiase

Cliente : madame Adélaïde Beaurivage

www.cheneliere.ca/lewis

Chapitre à consulter

58 INTERVENTIONS CLINIQUES
Troubles du foie, du pancréas et des voies biliaires

Madame Adélaïde Beaurivage, 50 ans, aime bien la nourriture riche en matières grasses. Elle a d'ailleurs un surplus de poids. Après un souper copieux, elle a ressenti une douleur aiguë à l'hypocondre droit. Comme elle n'avait jamais présenté une telle douleur, son conjoint l'a conduite à l'urgence, où l'infirmière attitrée au triage a procédé à l'évaluation initiale. Selon cette dernière, la douleur ressemble à une crise de cholélithiase. ▶

1. À quels autres endroits madame Beaurivage peut-elle ressentir sa douleur ?

____

____

2. L'infirmière peut recueillir une donnée subjective et une donnée objective en palpant le quadrant supérieur droit de l'abdomen de la cliente. Lesquelles ?

____

____

3. Quel indice d'inflammation sera révélé par la formule sanguine complète ?

____

▶ Le taux d'amylase sérique de la cliente est de 140 U/L. La vérification de la phosphatase alcaline a été faite en même temps que l'amylase. ▶

4. Est-ce que le taux d'amylase sérique est normal ?

____

____

____

____

5. Quel devrait être le résultat de la phosphatase alcaline de la cliente ?

____

____

▶ Madame Beaurivage a été en observation jusqu'au moment de subir une cholécystectomie par laparoscopie en chirurgie d'un jour. Les suites postopératoires se déroulent normalement, et l'infirmière prépare la cliente pour son retour à domicile. ◀

6. Quelle recommandation alimentaire l'infirmière fera-t-elle à madame Beaurivage ?

____

____

____

____

____

____

____

____

Situation de santé — Jugement **clinique**

RE09

Hernie discale lombaire

Client : monsieur Ronald Dawson

www.cheneliere.ca/lewis

Chapitre à consulter

26 INTERVENTIONS CLINIQUES
Troubles musculosquelettiques

Monsieur Ronald Dawson, 51 ans, travaille dans le domaine de la construction, ce qui l'amène à soulever des charges lourdes. Il se plaint de lombalgies, ce qui l'a incité à consulter son médecin. Une IRM a permis de diagnostiquer une hernie discale lombaire entre les vertèbres L-4 et L-5. Le test de Lasègue est positif. ▶

1. À quels endroits la douleur lombaire de monsieur Dawson peut-elle irradier?

2. Comment devez-vous procéder pour vérifier le test de Lasègue?

▶ Malgré un traitement conservateur, monsieur Dawson éprouve encore des lombalgies. Il sera opéré pour une discoïdectomie lombaire avec arthrodèse. ▶

3. Après la chirurgie, à quel moment monsieur Dawson pourra-t-il effectuer son premier lever?

4. Le client pourra-t-il demeurer sur le dos après la discoïdectomie lombaire? Expliquez votre réponse.

▶ Monsieur Dawson a été opéré. La douleur postopératoire est soulagée par l'administration de morphine I.V. avec pompe (analgésie contrôlée). Il reçoit également diazépam (Valium[MD]). ◀

5. Faut-il surveiller les signes de dépression respiratoire chez monsieur Dawson? Justifiez votre réponse.

6. Pourquoi monsieur Dawson prend-il du diazépam (Valium[MD]) ?

7. Citez au moins cinq points à évaluer concernant les jambes du client après la discoïdectomie.

RE10

Brûlures

Client : monsieur Harry Thomson

www.cheneliere.ca/lewis

Chapitre à consulter

32 INTERVENTIONS CLINIQUES
Brûlures

Monsieur Harry Thomson, 45 ans, a subi de graves brûlures à la suite d'un accident de voiture, alors qu'il avait les facultés affaiblies par l'alcool. Sa voiture a pris feu, et il s'est retrouvé coincé à l'intérieur jusqu'à ce que les secouristes arrivent. Il s'est infligé des brûlures du deuxième degré à la tête, au cou, aux bras et aux mains, et du troisième degré au thorax et à l'abdomen. ▶

1. Sur les lieux de l'accident, quelle sera la priorité des soins préhospitaliers ?

2. Quel est le plus grand danger que monsieur Thomson risque de courir à la suite de ses brûlures ?

3. Quel examen sanguin sera élevé ?

4. Monsieur Thomson ressentira-t-il de la douleur aux sites des brûlures ? Justifiez votre réponse.

▶ Monsieur Thomson a été admis à l'unité de soins aux grands brûlés. Il est intubé et sous ventilation assistée mécaniquement, et il est incapable d'ouvrir les yeux. D'après la formule de Parkland (Baxter), il reçoit 665 ml/h de soluté de lactate Ringer (poids du client : 76 kg ; SCT : 35 % [4 ml × 76 kg × 35 % = 10 640 pour 24 heures, soit 5 320 ml pour les huit premières heures ÷ 8 = 665 ml/h]). Une sonde vésicale a été installée. En plus de la morphine I.V., le client reçoit midazolam I.V. ▶

5. Quel est le but premier des soins donnés aux brûlures du client ?

6. Qu'est-ce qui peut expliquer l'incapacité de monsieur Thomson à ouvrir les yeux ?

7. Outre la formule de Parkland (Baxter) pour calculer le volume de remplacement, quel autre paramètre est le plus utilisé ?

8. Pourquoi monsieur Thomson reçoit-il de la morphine et du midazolam ?

9. Monsieur Thomson risque-t-il de présenter une thrombose veineuse profonde (TVP) ? Justifiez votre réponse.

▶ Dès que cela a été possible après l'admission de monsieur Thomson, le tissu nécrotique des brûlures a été enlevé par débridement. Le chirurgien plasticien compte maintenant effectuer des autogreffes de peau sur les brûlures au thorax et à l'abdomen du client à partir de la peau saine des cuisses. ◀

10. Pourquoi l'excision des tissus nécrotiques est-elle faite précocement ?

11. Pourquoi sera-t-il important de prodiguer des soins aussi méticuleux au site donneur des greffons qu'aux brûlures elles-mêmes ?

Situation de santé — Jugement clinique

Hépatite virale

Cliente : madame Scarlet McTavish

 www.cheneliere.ca/lewis

Chapitre à consulter

58 INTERVENTIONS CLINIQUES
Troubles du foie, du pancréas et des voies biliaires

Au cours d'une mission humanitaire à l'étranger, madame Scarlet McTavish, âgée de 50 ans, a contracté une hépatite virale. Elle travaillait auprès de familles défavorisées d'un grand bidonville surpeuplé où les conditions sanitaires étaient rudimentaires et l'accès à l'eau potable limité. Avant de partir en mission, elle a négligé de vérifier si elle avait besoin d'une dose de rappel de son vaccin, sa dernière dose reçue remontant à plus de vingt ans. ▶

1. À la lumière de ces quelques données, quelle forme d'hépatite madame McTavish a-t-elle contractée ?

2. Madame McTavish aurait-elle pu recevoir des immunoglobulines (Ig), même après avoir été exposée au virus de l'hépatite A ? Justifiez votre réponse.

► Madame McTavish présente les signes et les symptômes suivants : malaise généralisé, anorexie, fatigue, nausées accompagnées de vomissements occasionnels, et une sensation de gêne abdominale dans le quadrant supérieur droit. ◄

3. Nommez au moins quatre autres manifestations de l'hépatite que la cliente pourrait présenter.

4. Qu'est-ce qui expliquerait la sensation de gêne dans le quadrant supérieur droit ?

5. À ce stade-ci, madame McTavish est-elle contagieuse ? Justifiez votre réponse.

6. La cliente sera-t-elle ictérique ? Justifiez votre réponse.

7. Quelles sont les deux principales mesures thérapeutiques pour l'hépatite virale de madame McTavish ?

Situation de santé — Jugement **clinique**

Soins palliatifs

Client : monsieur Chung Nguyen

www.cheneliere.ca/lewis

Chapitre à consulter

Soins palliatifs et soins de fin de vie

Monsieur Chung Nguyen est d'origine vietnamienne et il est âgé de 78 ans. Il est en phase terminale d'un cancer de l'estomac, et il est à son domicile avec sa conjointe. Le couple est marié depuis 60 ans. C'est l'épouse de monsieur Nguyen, elle-même âgée de 77 ans et atteinte d'insuffisance cardiaque sévère, qui prend soin de lui. Elle a d'ailleurs été hospitalisée récemment pour un œdème aigu pulmonaire.

Leurs enfants habitent à l'extérieur de la ville et sont peu disponibles pour aider leurs parents. L'épouse du client tient à continuer à s'occuper de lui à la maison, malgré la grande fatigue qu'elle ressent. Une infirmière du CSSS au service de maintien à domicile visite le couple tous les deux jours.

Comme monsieur Nguyen ressent de la douleur généralisée presque constamment, il reçoit des analgésiques opioïdes régulièrement. Étant très croyants, l'épouse et les enfants refusent d'envisager la mort comme une issue certaine prochaine. Ils sont prêts à tout tenter pour prolonger la vie du client.

1. En plus du contrôle de la douleur, proposez trois objectifs des soins palliatifs à poursuivre dans la situation de monsieur Nguyen.

2. Que pensez-vous de la décision de l'épouse de monsieur Nguyen de continuer à prendre soin de son mari à la maison, malgré son état de santé précaire et sa grande fatigue ?

3. Tenteriez-vous d'influencer la décision de la conjointe du client pour qu'elle envisage l'hospitalisation dans une unité de soins palliatifs plutôt que le maintien à domicile ?

4. Monsieur Nguyen devrait-il être visité chaque jour par l'infirmière du CSSS ? Justifiez votre réponse.